JN238081

drape drape

ドレープ ドレープ

佐藤ヒサコ
Hisako Sato

Contents

page 1, 54	no.5	drape drape dress
page 4		intromission
page 5, 41, 42	no.1	loose drape top + tuck drape pants
page 6, 44, 46	no.2	gather drape cape vest + gather drape pants
page 7, 48	no.3	gather drape dress
page 8, 50	no.4	drape drape dress
page 9, 54	no.5	drape drape dress
page 10, 11, 58	no.6	drape drape gather dress
page 12, 13, 60	no.7	gather drape blouse
page 14, 62	no.8	drape drape all-in-one
page 15, 41, 42	no.1	loose drape top + tuck drape pants
page 16, 17, 64	no.9	loose drape blouse
page 18, 19, 66	no.10	tuck drape dress
page 20, 41, 42	no.1	loose drape top + tuck drape pants
page 21, 68	no.11	loose flare drape dress
page 22, 72	no.12	loose drape tank-top
page 23, 74	no.13	loose drape top
page 24, 72	no.12	loose drape tank-top
page 25, 62	no.8	drape drape all-in-one
page 26, 76	no.14	tuck drape tunic blouse
page 27, 78	no.15	loose drape tunic blouse
page 28, 80	no.16	drape drape dress
page 29, 84	no.17	drape drape dress
page 30, 31, 54	no.5	drape drape dress
page 32		How to make

私は、デザインをすることが好きで、
それを仕事とし何年もいろんな洋服のデザインを手がけてきました。
最近やっと、デザインをすることの楽しさを実感しながら
物作りができるようになりました。
ここ5、6年くらい自分の作る服の中に
「ドレープ」テクニックの入ったデザインが多く商品化され、
また自分でも「ドレープ」のディテールを工夫しながらデザインし、
そのテクニックのバリエーションもかなり増えました。

「ドレープ」という表現は少しフェミニンな技法に思われますが、
そんなことはありません。
一枚の布にいくつものカッティング線を入れるデザインとは違い、
布地の持つ特性を生かした布と布のたるみや、
一枚の布の地の目が線を描くようにしてできるディテールから、
ドレープのデザインができ上がっています。
柔らかい薄地の生地からできる繊細なドレープ、
伸縮素材で作る落ち感のあるドレープなど、
布と布のたるみからできるドレープ「loose drape」、
ギャザーからできるドレープ「gather drape」、
タック&タックからできるドレープ「tuck drape」、
これらのすべてのドレープで「drape drape」の作品は作られています。

この「drape drape」で紹介する作品は、リラックスしたシンプルなアイテムから
ドレスまでいろんな「ドレープ」を楽しみながら作っていただけるものです。

no. 1 loose drape top + tuck drape pants   page 41, 42

no. 2 gather drape cape vest + gather drape pants   page 44, 46

no.3　gather drape dress　page 48

no. 4　drape drape dress　page 50

no. 5 drape drape dress page 54

no. 6 drape drape gather dress   page 58

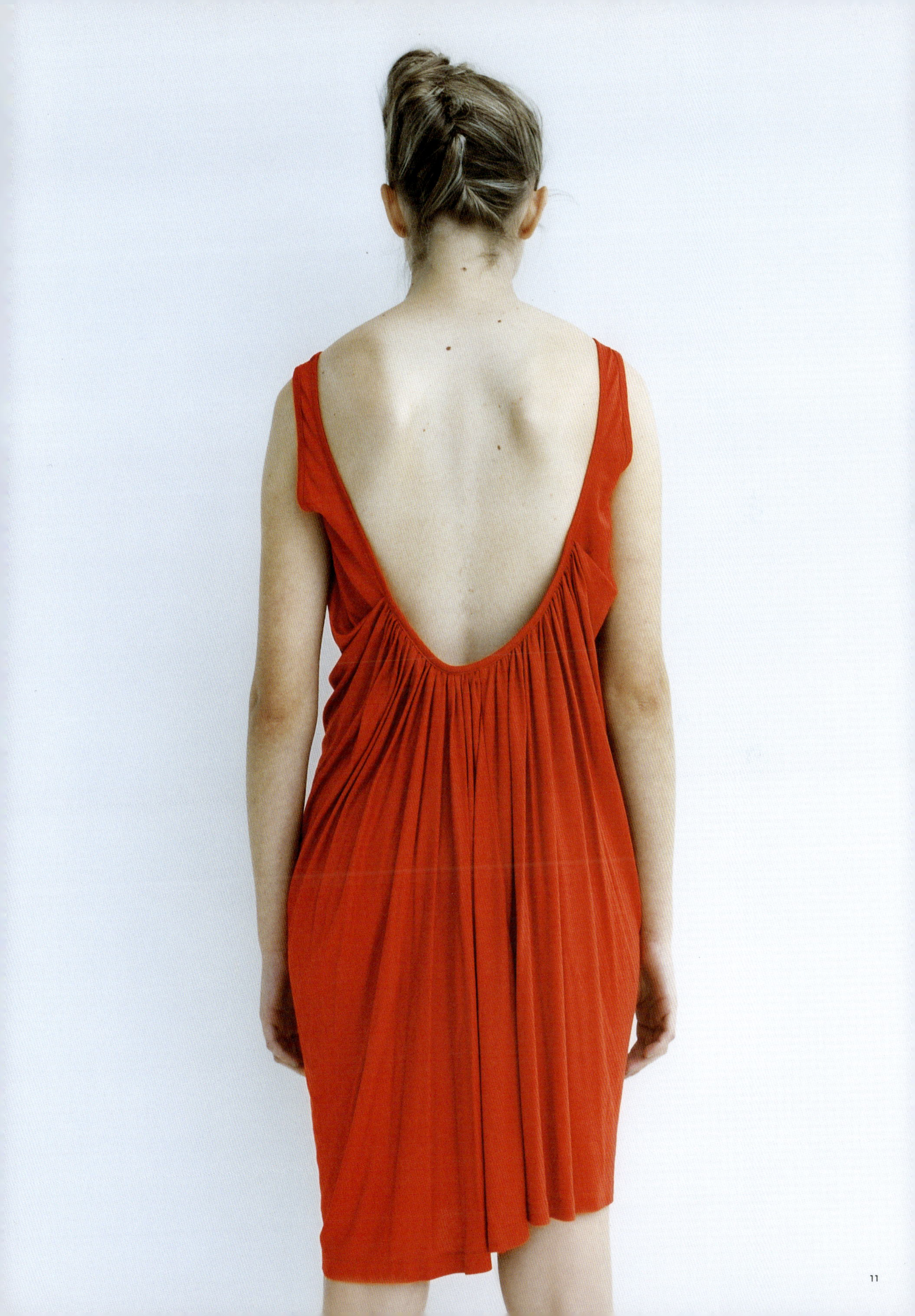

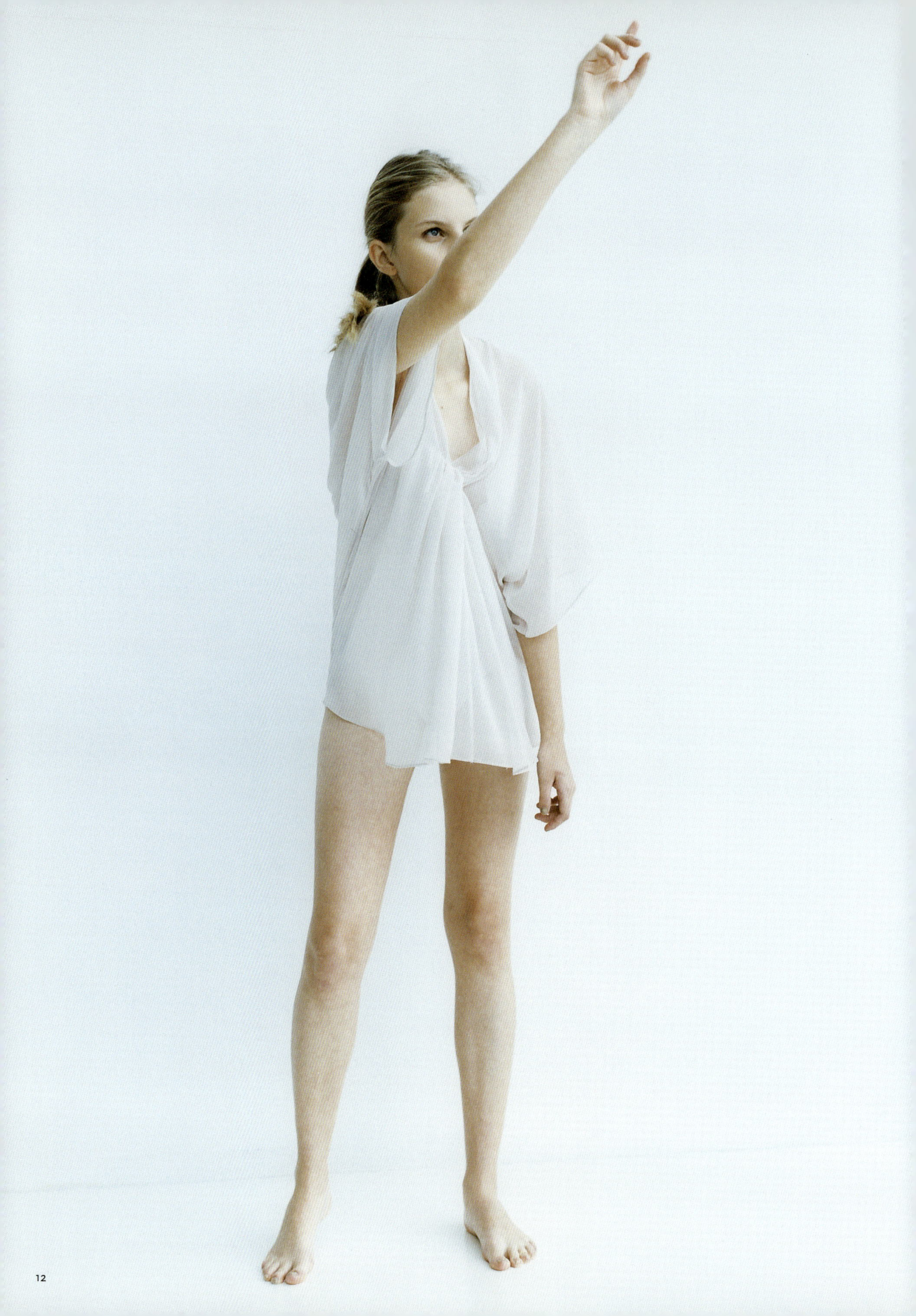

no. 7 gather drape blouse   page 60

no. 8 drape drape all-in-one   page 62

no.1 page 41, 42

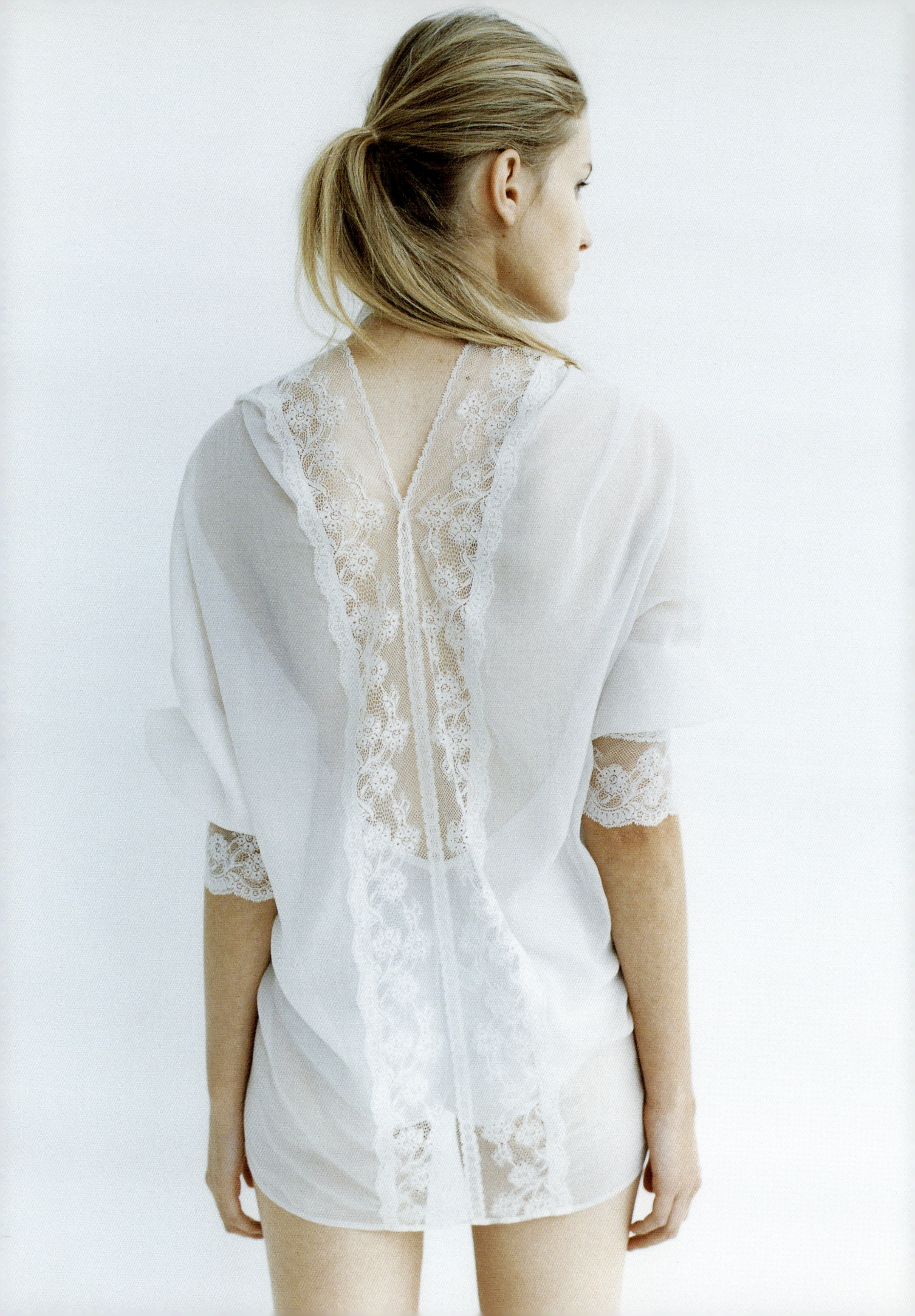

no. 9 loose drape blouse   page 64

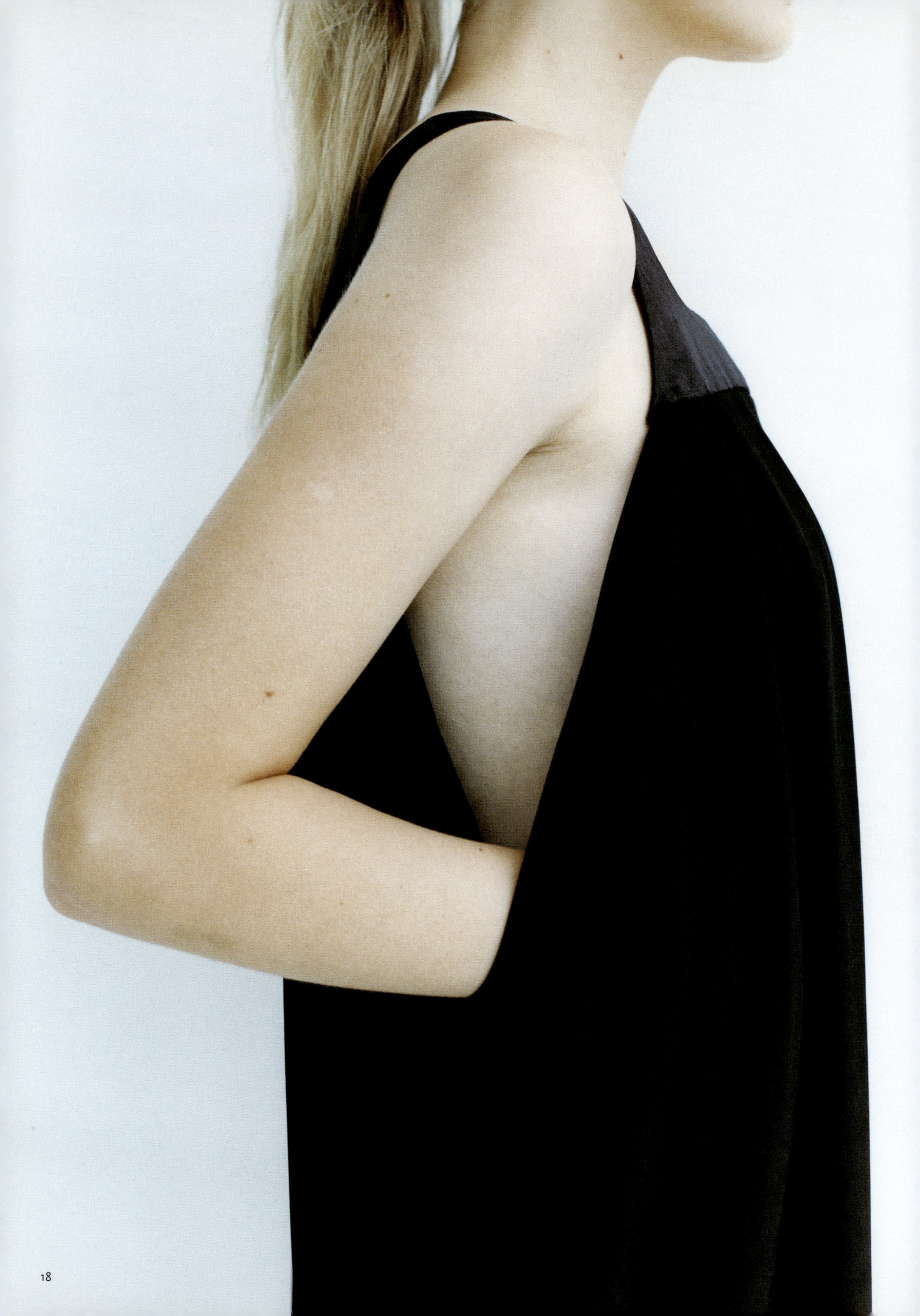

no.10 tuck drape dress   page 66

no. 1 page 44, 46

no.11 loose flare drape dress   page 68

no.12 loose drape tank-top   page 72

no.13　loose drape top　　　　　　　　　　　　　　　　　　　　page 74

24

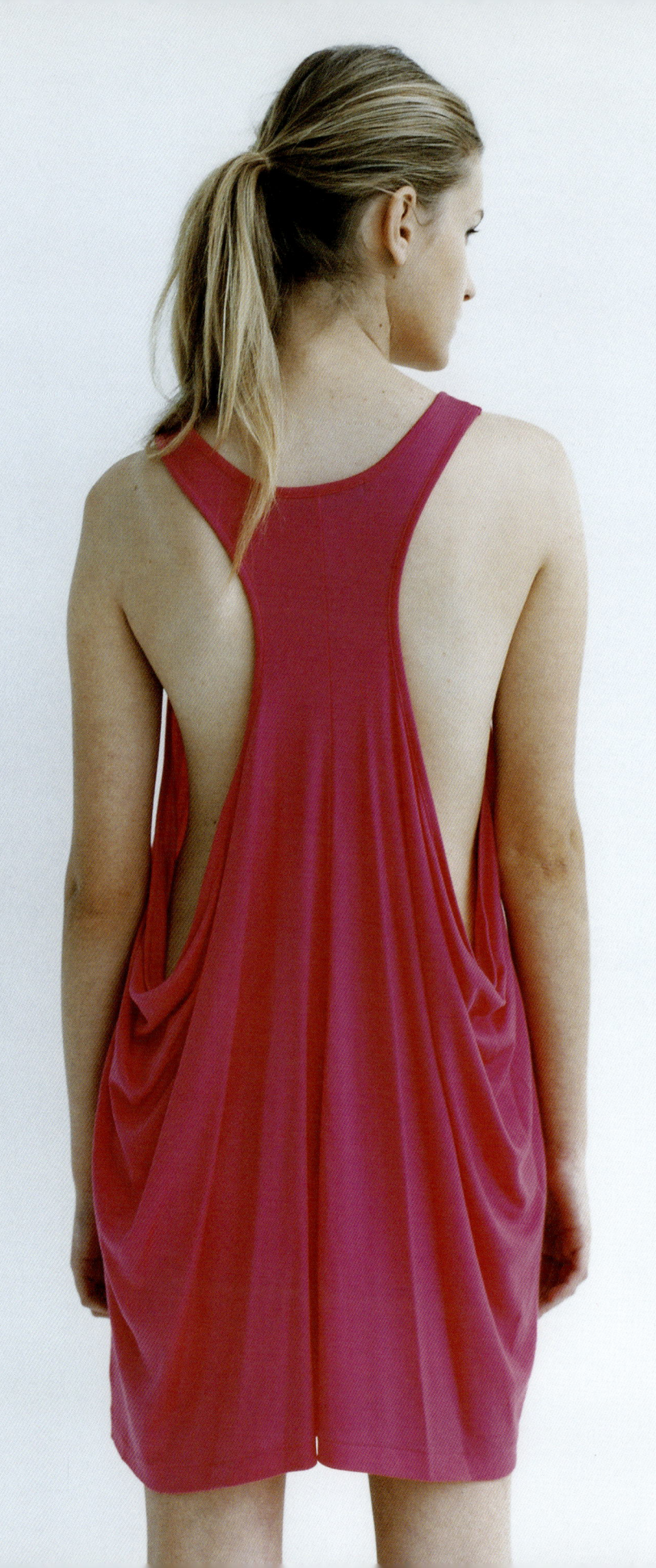

no.12　page 72

no. 8　page 62

no.14 tuck drape tunic blouse page 76

no.15 loose drape tunic blouse   page 78

no.16 drape drape dress   page 80

no.17 drape drape dress   page 84

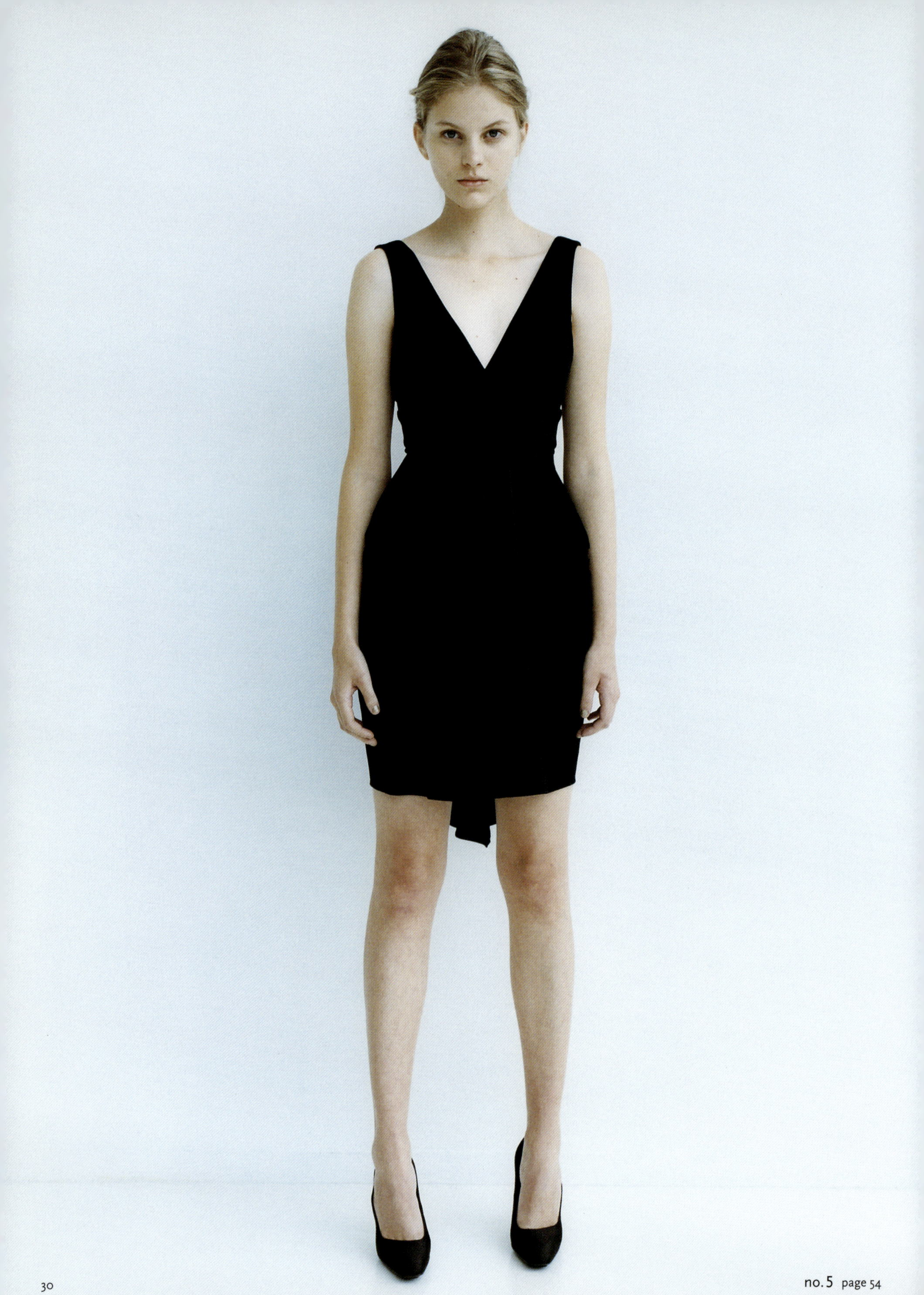

no. 5 page 54

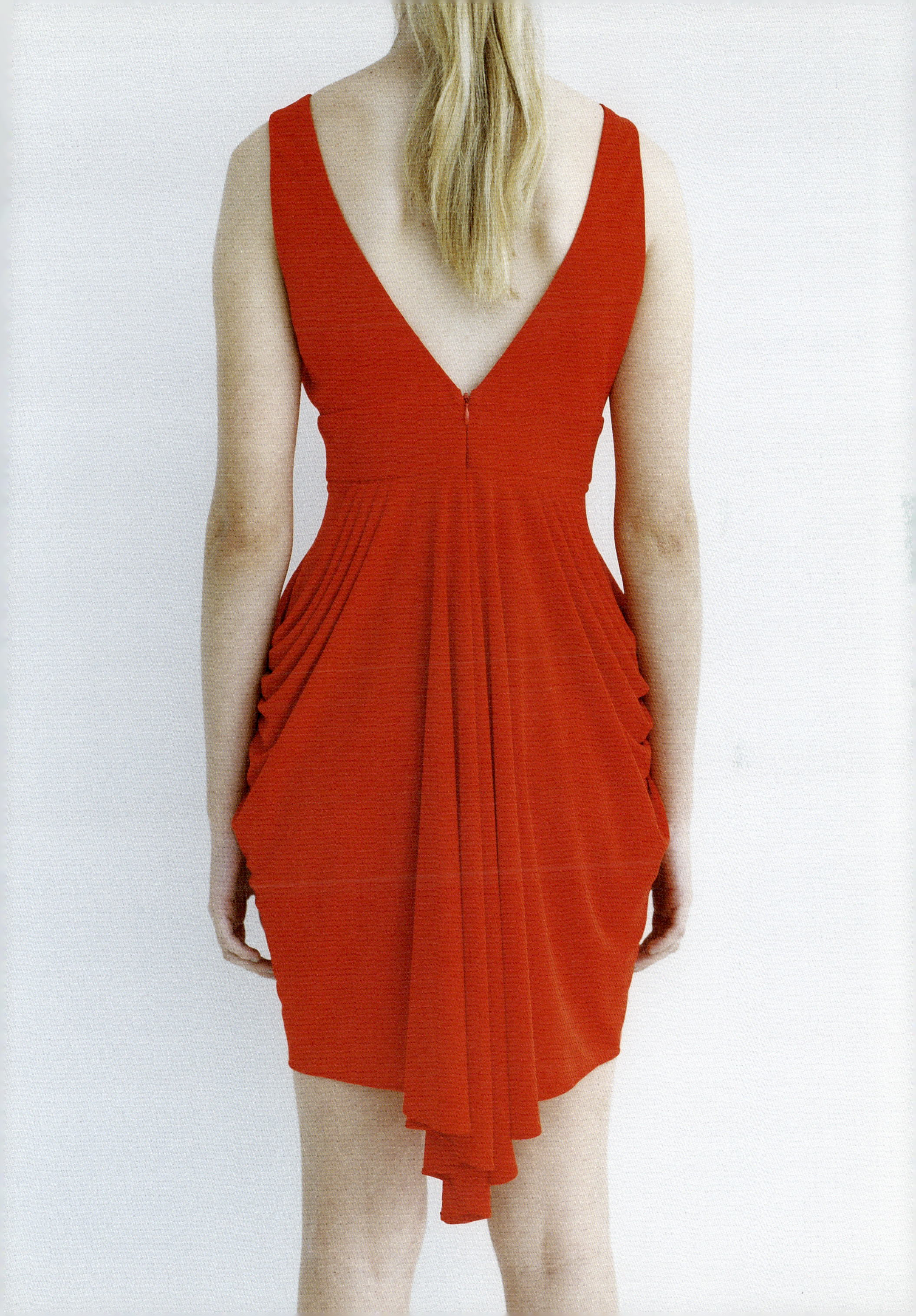

How to Make

付録の実物大パターンとサイズについて

この本で紹介した全作品の実物大パターンが付録としてついています。ただし、デザインによってはフリーサイズの作品、S、M共通とML、L共通の2サイズ展開の作品、S、M、ML、Lの4サイズ展開の作品があります。サイズ表を確認しながら、パターンサイズを選んでください。

また、実物大パターンはすべて縫い代つきです。タックなどたたんだときの縫い代の形と合い印の位置がとても重要になりますから、丁寧に写し取ってください。

サイズ表

	サイズ	S	M	ML	L
ヌード寸法	身長	153	158	163	168
	バスト	78	82	86	90
	ウエスト	58	62	66	70
	ヒップ	84	88	92	96

（単位はcm）

「ドレープ ドレープ」を表現するためのテクニックは、たるみ（写真1）、タック（写真2）、ギャザー（写真3）、それらのテクニックを混合したドレープ ドレープ（写真4）です。

どれもが素材特有の美しい動きがポイントになります。この本で使用した素材は、木綿、ウール、トリコット、シルクとさまざまです。作品のイメージそのままに作り上げるには作品の素材を使うのが一番いいのですが、全く同じ素材が手に入らない場合が多いものです。素材が変わるとドレープの流れや量感が多少変化することを楽しみながら挑戦してください。

1

2

3

4

＊素材について

一般的な木綿やウールの織り地の布帛の扱い方は難しくありません。しかし、木綿、ウール、シルクでも伸縮するスムース(写真1)や天竺(写真2)などの編み地の布、また糸自体に伸縮性のあるトリコットなどは、ミシン針やミシン糸、縫合せの方法も違います。一般的な布帛だけでなく伸縮素材の扱い方も取り上げました。また37ページで伸縮素材の基本の縫い方について、詳しく解説していますから参考にしてください。

＊準 備

1 地直し

木綿やウールはスチームアイロンの蒸気や水分を与えると縮むことがあります。また布地自体がゆがんでいる場合もありますから、裁断をする前に地直しをしておきましょう。

織り地の布帛(写真3)は、まずよこ糸を抜いて裁ち端をまっすぐにカットします。よこ糸を抜けないレース地(写真4)は柄を目安にカットします。しかし、木綿、ウール、シルクでもスムース(写真1)や天竺(写真2)の編み地は糸が抜けないので横の編み目にそってまっすぐカットしてください。

次に木綿は2~3時間水に浸し、絞らずに陰干しします。生乾きのうちにアイロンをかけますが、このとき布の耳を合わせて二つ折りにして裁ち端がずれてしまうのはゆがんでいる証拠。ゆがんだ方向とは逆になるバイアスの方向に布を引っ張って布目を整え、アイロンをかけます。

ウールは全体にスチームアイロンをかけて、よこ糸とたて糸が直角に交わるように布目を整えます。

シルクは全体にドライアイロンをかけて布目を整える程度にしましょう。

〈スムース〉両面編み、裏表とも同じ編み目が見える。裁ち端は落ち着いている。
〈天竺〉平編み、表と裏の編み目の外観が異なる。裁ち端が表側に丸まりやすい。

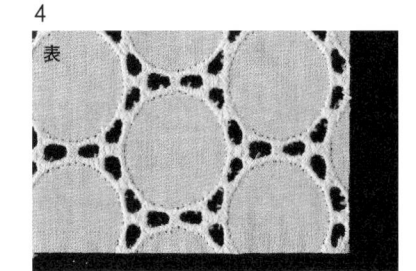

2 裁断と印つけ

左右対称のデザインの場合は、布を外表に二つに折り、縫い代つきパターンをのせて重しで押さえます。裁切り線をチョークでしるします（写真1）。2枚重ねた布地が動かないようにそっとパターンを外し、裁切り線の印の際をまち針でとめ直します。裁切り線の印の位置をはさみでカットします。伸縮素材やトリコットなど、2枚重ねてはさみでカットしたときに、布地が刃に押されて大きくずれてしまう場合は、左右1枚ずつ裁切り線の印をつけて裁断すると正確です。合い印にはノッチ（5mmくらいの切込み）を入れ、複数のタック位置がノッチだけではわかりにくい場合は、しつけ糸で縫いじつけをします。このとき山折りと谷折りでしつけ糸の色を変えると、タックの方向を間違えないでたたむことができます（no.16のパターンの図A、B）。

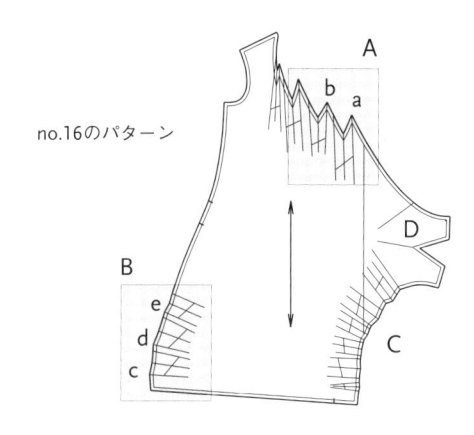

3 芯張り

見返しなどのしっかりさせたい部分には接着芯を張ります。接着芯は接着剤がついた面を布の裏面と合わせ、ドライアイロンで軽く押さえて仮どめします。接着剤が芯の基布から染み出してアイロンにつかないように、ハトロン紙や当て布をした上から今度はしっかりアイロンをかけます。接着芯を張った布地は、あら熱が取れるまではくせがつきやすいので、動かさないようにしてください。伸止めに張る接着テープは、肩線などの直線は縫い線に2、3mmかけて張ります。袖ぐりなどのカーブになった部分に張る場合は、まずつけ位置の寸法が長くなる外回りに軽く張ります（写真2）。次に浮いた接着テープをアイロンでつぶすようにします（写真3）。布の伸縮性になじませたいけれど伸ばしたくない伸縮素材にはニット状の接着テープを張ります（写真4）。接着テープを張った部分は案外かたくなります。縁とりをする衿ぐりや袖ぐりの部分には接着テープを張っていませんが、どうしても伸びてしまう場合は、縁とり幅に収まるように細くテープをカットして張ってください。

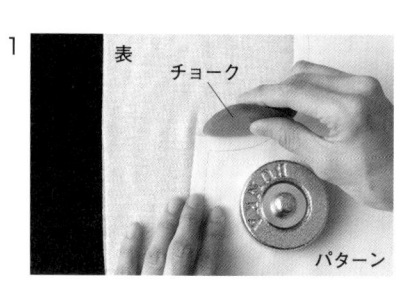

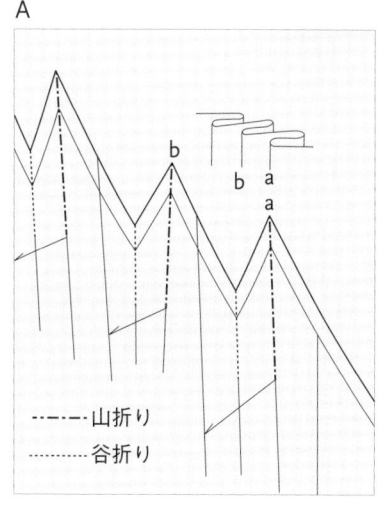

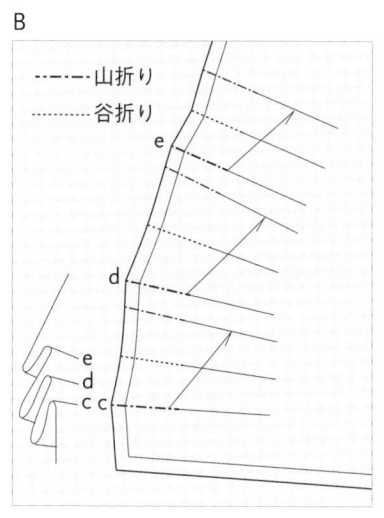

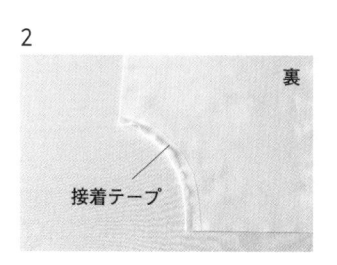

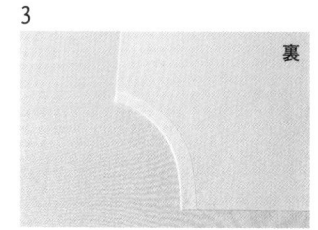

* タックのたたみ方

no.16のAの部分
正確に裁断し印をつけた布地(写真1)は、タックの方向をパターンで確認しながらたたんでいきます。このとき縫い代の裁ち端をきちんと合わせてたたみます(写真2、3)。まち針をとめたらすぐ縫い代にしつけをかけましょう(写真4)。no.16のBの部分も同様にたたみます(写真5～7)。C、Dも続けてたたみますが、それぞれタックの方向が異なるので、注意してください(写真8、9)。

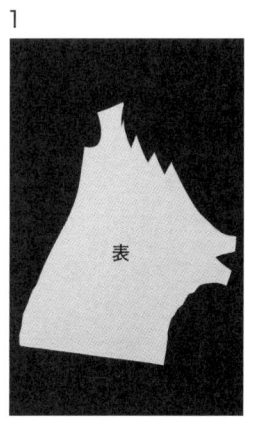

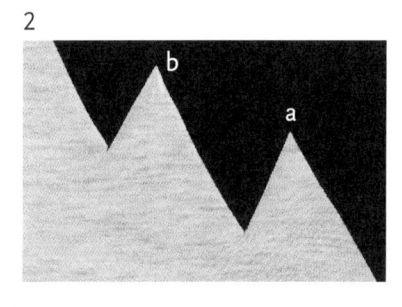

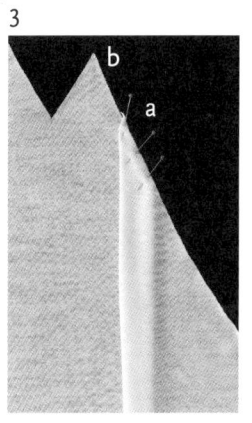

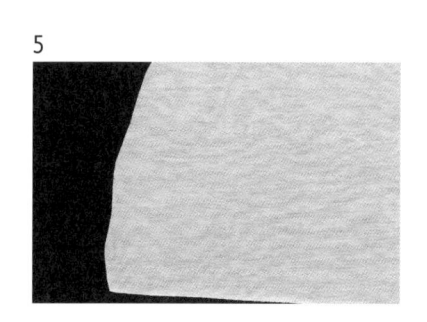

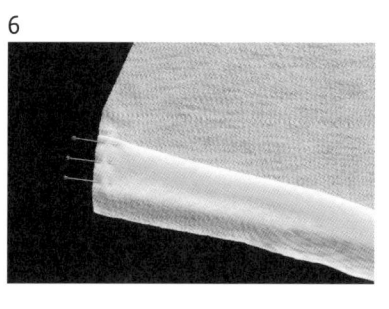

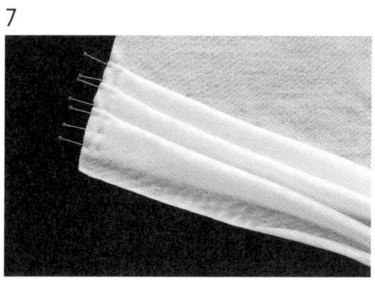

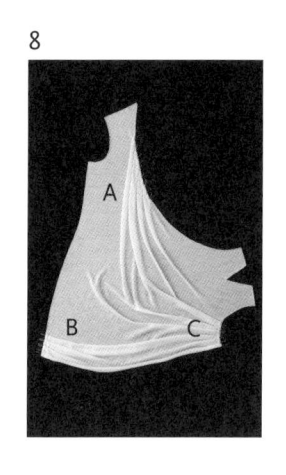

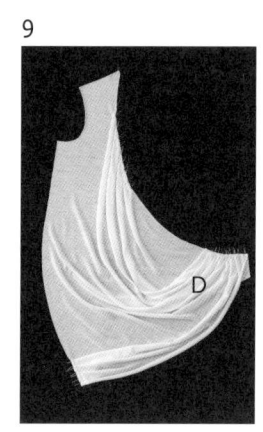

* ギャザーの寄せ方

でき上り線より縫い代側に針目を大きくした粗ミシンをかけ、上糸か下糸の一方を引いてギャザーを寄せます。このときアイロンマットの上に布を置き、糸を引く反対側をまち針で固定するとギャザーを寄せるのが楽にできます(写真10)。ギャザーの流れを整えながら、縫い代にアイロンをかけて押さえておきます(写真11)。

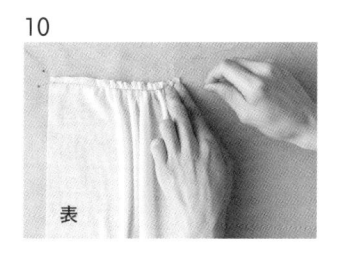

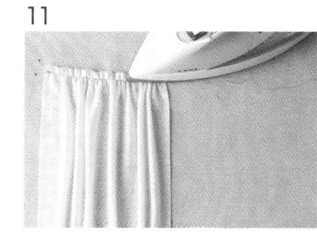

伸縮素材の基本の縫い方

〈針と糸〉

伸縮素材には専用の針と糸を用意します。これでほとんどの伸縮素材は普通に縫うことができます。ミシン針は針穴から先端までが長く、先が丸いボールポイント針というニット専用の針（写真1）です。布への負担が少ないので縫いやすく、地糸切れを防ぎます。ミシン糸はナイロン製でわずかに伸びて布の動きにフィットするレジロンやレオナ66がニット専用ミシン糸（写真2）です。布帛用のミシン糸だと伸びに対応できず、糸切れするので必ずニット専用糸を使用しましょう。

〈ミシン、ジグザグミシン、ロックミシン〉

一般的な直線ミシンやジグザグミシンだけでも縫うことができます。ただ、柔らかく薄いニット地にジグザグミシンをかけると、縮んでしまうことがあります（写真3）。縫う前に必ず試し縫いをしてください。このような場合は、布地1枚だけにジグザグミシンをかける裁ち端の始末は避けたほうがいいでしょう。裁ち端の始末には、きれいに手早くできるロックミシン（写真4、5）をおすすめします。Tシャツの裾上げのように裁ち端の縁かがりと押えミシンが一度にかけられる専用のインターロックミシン（写真6）も便利です。
ここではそれぞれのミシンに合わせた基本の縫い方を紹介します。お手持ちのミシンに合った方法を選んでください。

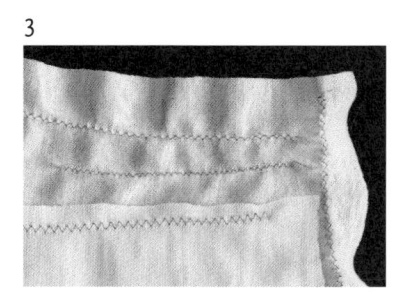

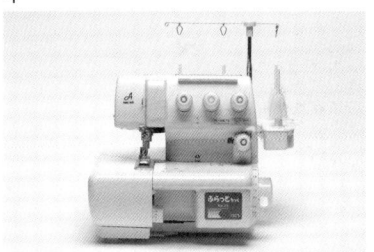

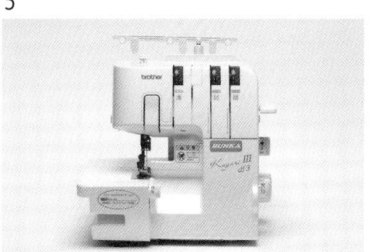

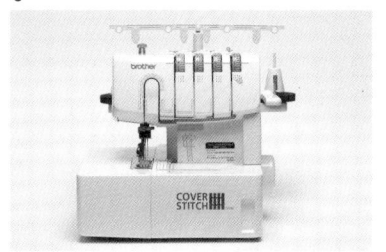

〈基本縫い〉

伸縮素材やニット地にミシンをかける場合、布地1枚の状態で裁ち端の始末をすると、それだけで多少伸びてしまうことがあります。2枚の布を重ねた縫い線のミシンを先にかけてから、それぞれの方法で始末します。

〈縫い代の始末―割る〉

● 捨てミシン (写真1〜3)

布を中表に合わせ、縫い線にミシンをかけます。縫い代を縫い線から割り、裁ち端から0.3cmに捨てミシンをかけます。

薄く柔らかいニット地は、縫始めがミシンの針落ちに引かれて入り込み、針目が詰まってしまうことがあります。そんなときは、ハトロン紙を布の下に敷いて一緒にミシンをかけます(写真4)。縫い終わったらハトロン紙はミシン目から糸を引っ張らないように静かに破り、取り除きます。

● 3本ロックミシン (写真5〜7)

布を中表に合わせ、縫い線にミシンをかけます。縫い代を縫い線から割り、裁ち端にロックミシンをかけます。

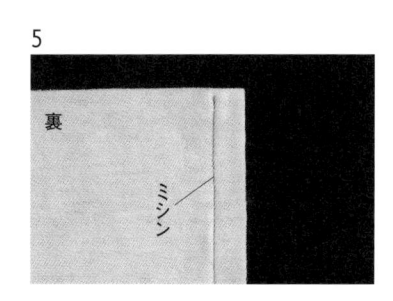

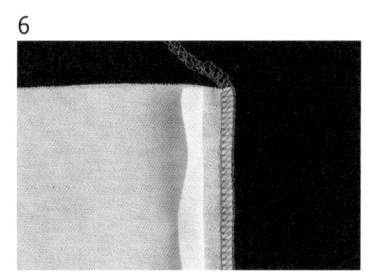

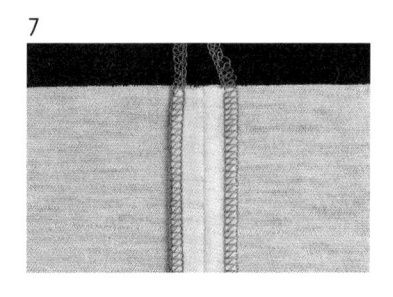

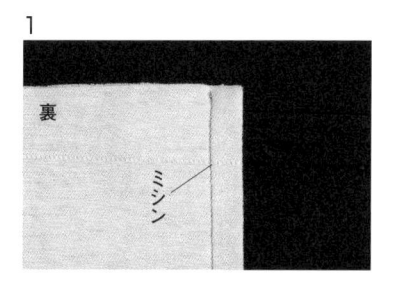

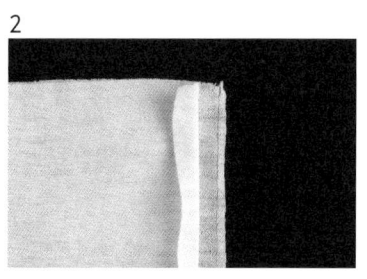

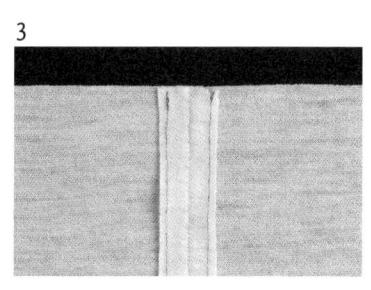

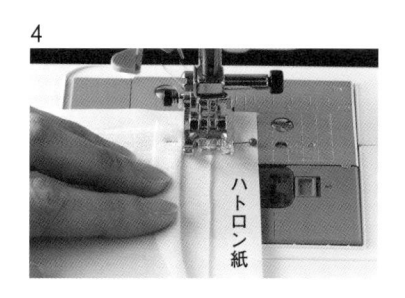

〈縫い代の始末 — 片返す〉

● 捨てミシン(写真1〜3)

布を中表に合わせ、縫い線にミシンをかけます。裁ち端から0.3cmに捨てミシンをかけます。布を開いて縫い代を縫い線から片返し、アイロンで押さえます。

● 3本ロックミシン(写真4〜6)

布を中表に合わせ、縫い線にミシンをかけます。縫い代は2枚一緒にロックミシンをかけます。布を開いて縫い代を縫い線から片返し、アイロンで押さえます。

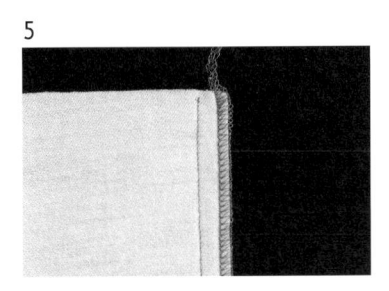

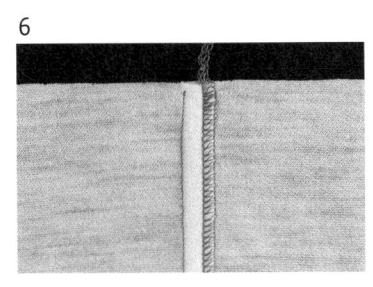

● ジグザグミシン(写真7〜9)

布を中表に合わせ、縫い線にミシンをかけます。縫い代は2枚一緒にジグザグミシンをかけます。布を開いて縫い代を縫い線から片返し、アイロンで押さえます。

● 4本ロックミシン(写真10〜11)

4本ロックは地縫いも兼ねているので布を中表に合わせ、縫い線にロックミシンをかけます。布を開いて縫い代を縫い線から片返し、アイロンで押さえます。

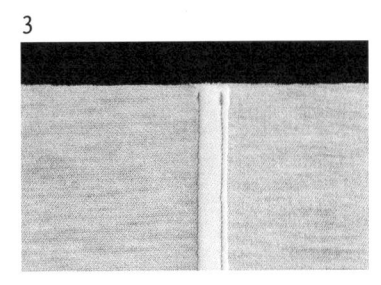

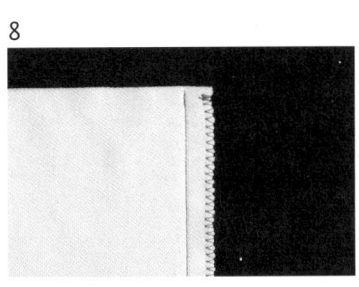

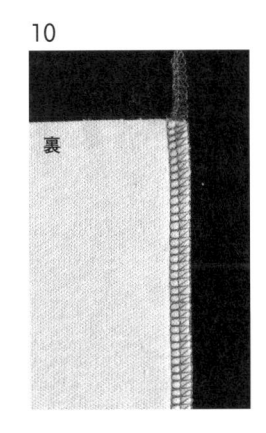

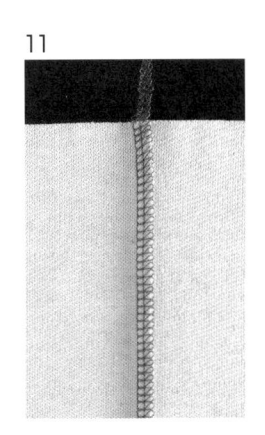

〈裾上げ― 二つ折り〉

● **捨てミシン**(写真1、2)
裾をでき上り線からアイロンで二つ折りにします。折り代にステッチをかけて押さえます。

● **3本ロックミシン**(写真3～5)
折り代の裁ち端にロックミシンをかけます。裾をでき上り線からアイロンで二つ折りにします。ロックミシンのかがり目にかかるようにステッチをかけて押さえます。

● **インターロックミシン**(写真6、7)
折り上げた布をロックミシンのかがり目のような広幅の環縫いで押さえることができるミシンです。折り代の裁ち端にかかるようにかけると始末と押えミシンを一度にかけることができます。ただ、普通のロックミシンのように布を裁ち落としながらかがることはできません。

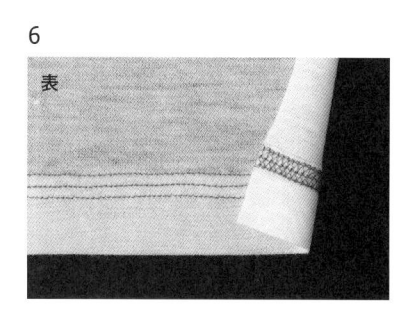

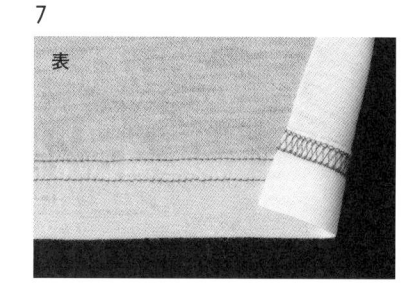

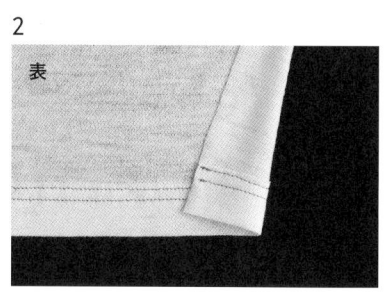

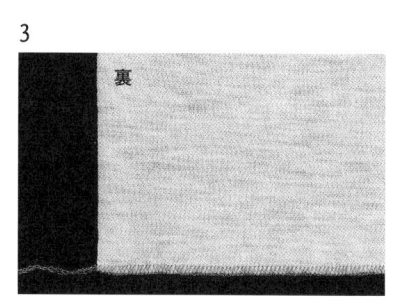

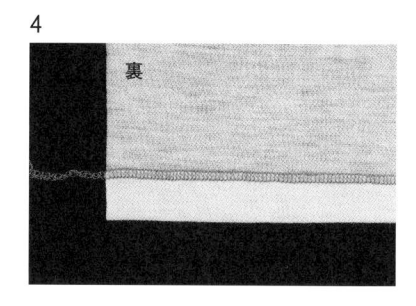

no.1 loose drape top

page 5, 15, 20

ルーズ ドレープ トップ

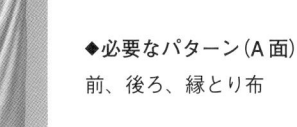

◆ 必要なパターン（A面）

前、後ろ、縁とり布

◆ 縫い方順序

1. 肩を縫い合わせ、縫い代を後ろに片返す。
2. 衿ぐりの見返し端を巻きロックで始末する。
3. 衿ぐり見返しを出来上がりに折る。
4. 袖ぐりを縁とりする。
5. 脇を縫い合わせ、縫い代を後ろに片返す。
6. 裾を折り上げてステッチ。

◆ 使用量

表布（シルクウール天竺）
= 140cm幅
（S、M）80cm
（ML、L）90cm

4 袖ぐりの縁とり

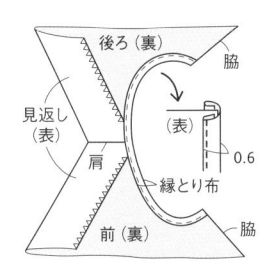

※縁とりのしかたは73ページ

裁合せ図

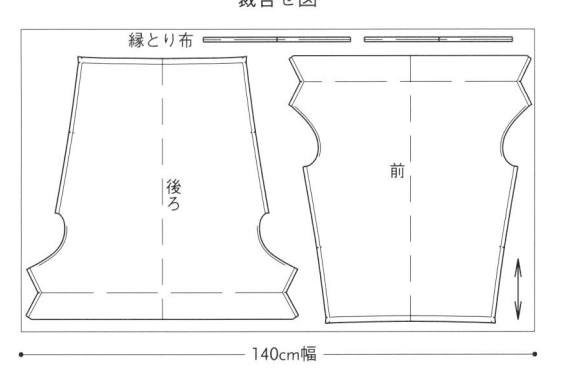

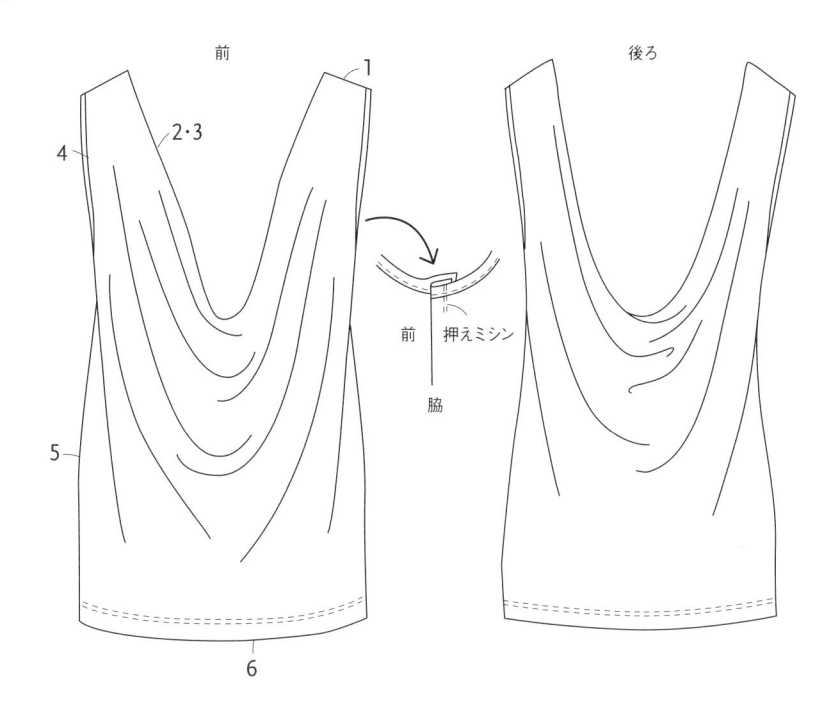

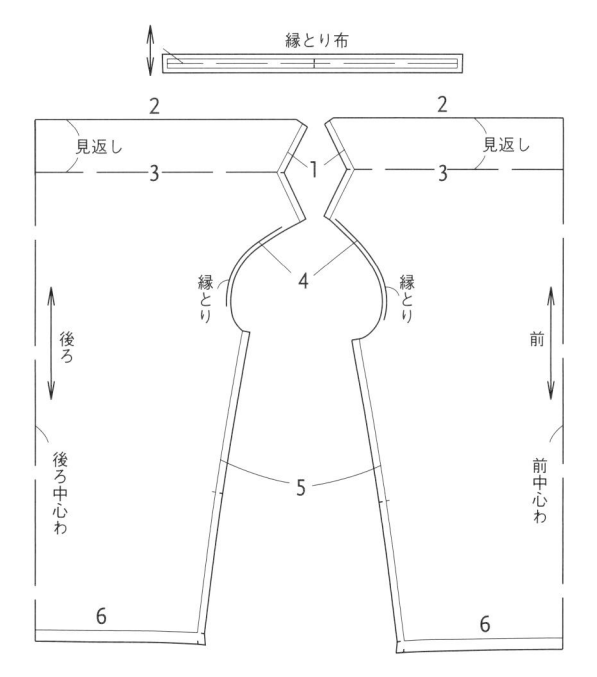

140cm幅

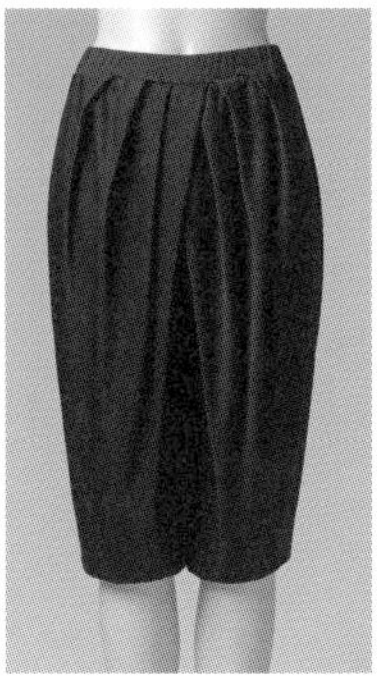

no.1 tuck drape pants

page 5, 15, 20

タック ドレープ パンツ

◆必要なパターン（A面）
前、後ろ、ウエストベルト、裾カフス

◆ 縫い方順序
1 前後の股上をそれぞれ縫い合わせる。
2 前後のウエストタックをそれぞれたたみ、仮どめする。→図
3 脇を縫い合わせる。
4 股下を左右続けて縫い合わせる。
5 ウエストベルトの脇、裾カフスの股下を縫い合わせて、輪にする。このときゴムテープ通し口を縫い残す。→図
6 ウエストベルトをつける。→図
7 裾カフスをつける。
8 ウエストベルトと裾カフスにゴムテープを通す。

◆ 使用量
表布（ポリエステルスムース）
＝150cm幅
（S、M）2m
（ML、L）2m20cm
3cm幅のゴムテープ　適宜

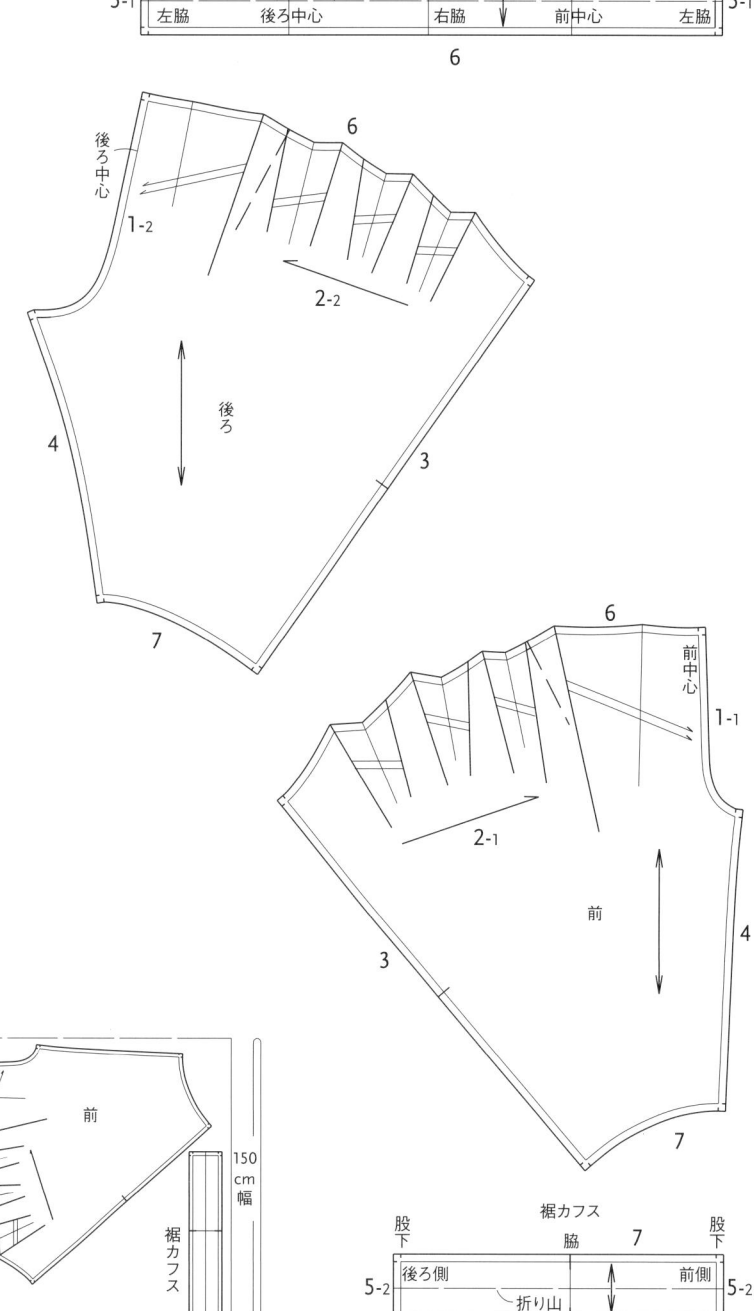

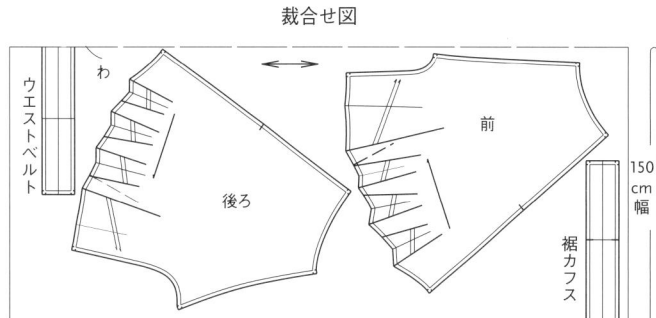

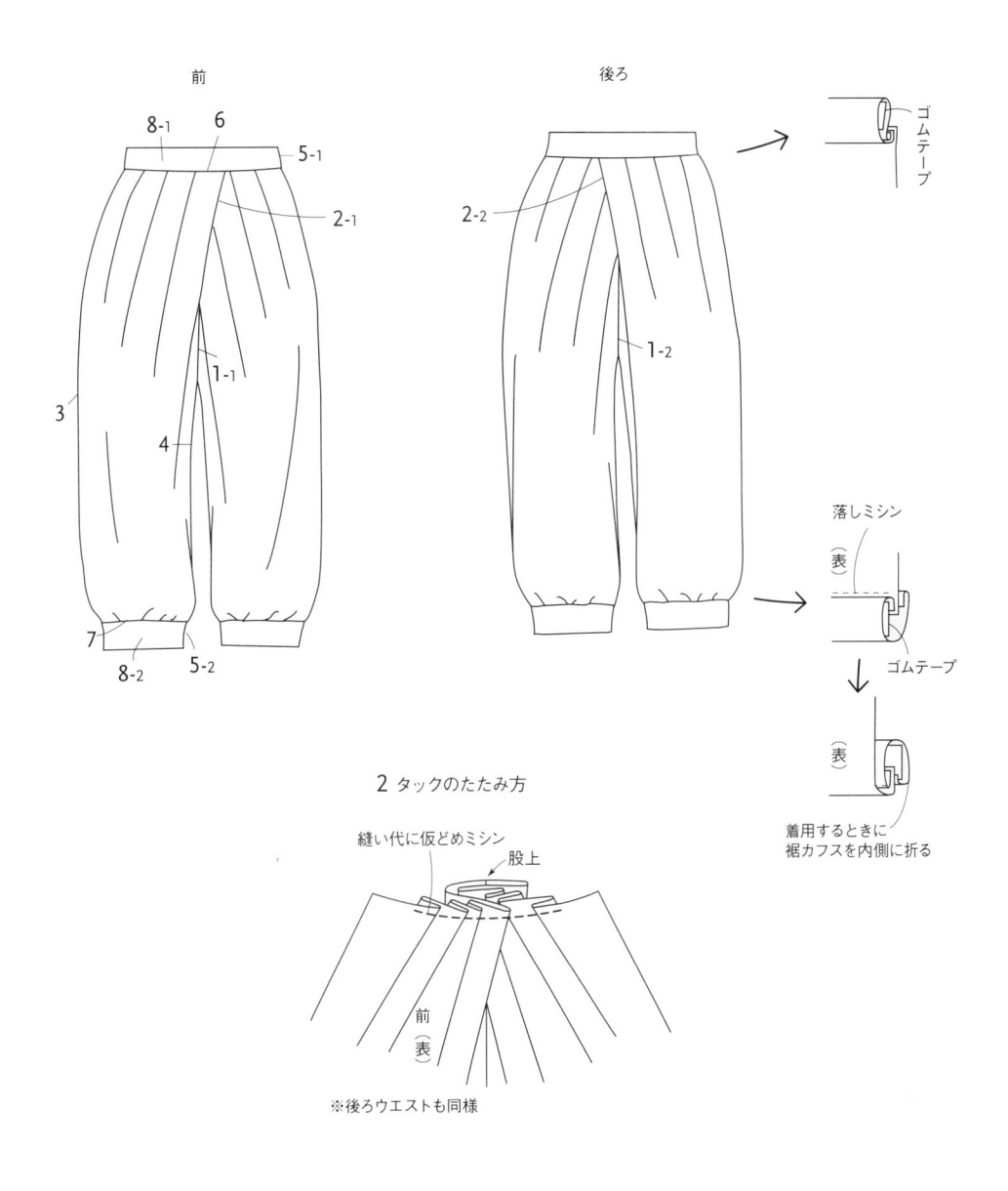

前　　　　　　　　　後ろ

ゴムテープ

落しミシン
（表）
ゴムテープ
（表）

着用するときに
裾カフスを内側に折る

2 タックのたたみ方

縫い代に仮どめミシン
股上
前
（表）
※後ろウエストも同様

5 ゴムテープ通し口の作り方

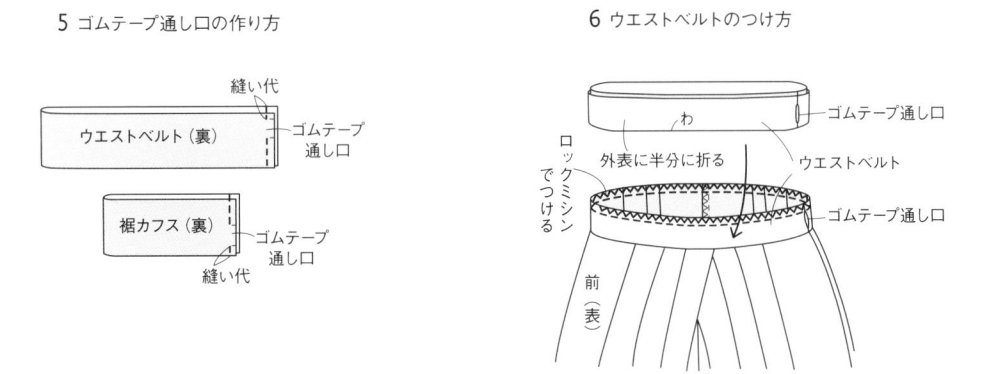

ウエストベルト（裏）
縫い代
ゴムテープ通し口

裾カフス（裏）
ゴムテープ通し口
縫い代

6 ウエストベルトのつけ方

わ
ゴムテープ通し口
外表に半分に折る
ウエストベルト
ロックミシンでつける
ゴムテープ通し口
前
（表）

no.2 gather drape cape vest

page 6

ギャザー ドレープ ケープ ベスト

◆ 必要なパターン（A面）

前、前脇、後ろ、後ろ切替え布、後ろ裾、後ろ脇、脇おおい布、ケープ、縁とり布

◆ 縫い方順序

1. 表、裏の後ろ身頃、後ろ裾の後ろ中心をそれぞれ縫い合わせる。
2. 表、裏の後ろ切替え布と後ろ身頃、後ろ裾布をそれぞれ縫い合わせる。
3. 表、裏身頃の肩をそれぞれ縫い合わせる。
4. 3の表、裏身頃を中表に合わせ、前裾～前端～衿ぐりと後ろ裾を縫い返す。
5. 前脇身頃と後ろ脇身頃の脇を縫い合わせ、裾をまつり、袖ぐりを縁とりする。→図
6. 脇おおい布の上下を三つ折り端ミシンで始末し、両サイドにギャザーを寄せる。
7. ケープの外回りを三つ折り端ミシンで始末し、つけ側にギャザーを寄せる。
8. 脇身頃、脇おおい布、ケープを3枚一緒に、4の前後身頃につける。→図
9. ボタンホールを作り、ボタンをつける。

◆ 使用量

表布A（サージ）
＝140cm幅 70cm

表布B（ウールガーゼ）
＝140cm幅
(S) 1m
(M) 1m10cm
(ML) 1m20cm
(L) 1m30cm

別布（マットジャージー）
＝140cm幅 60cm

直径1.2cmのボタン 6個

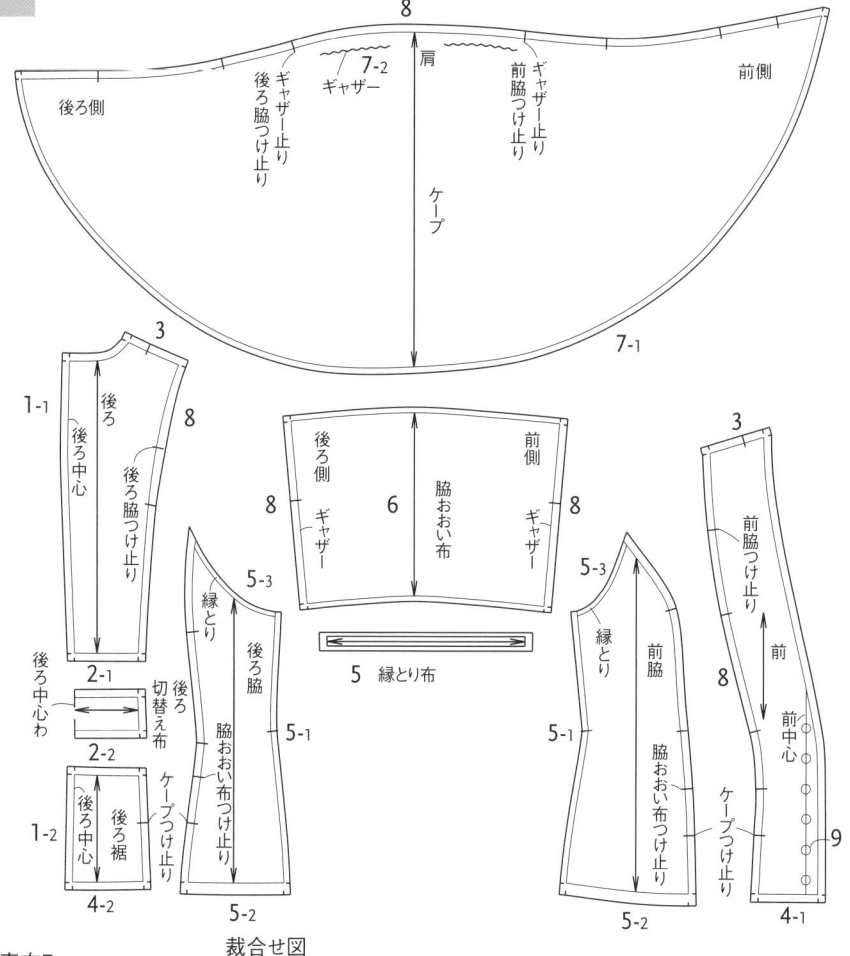

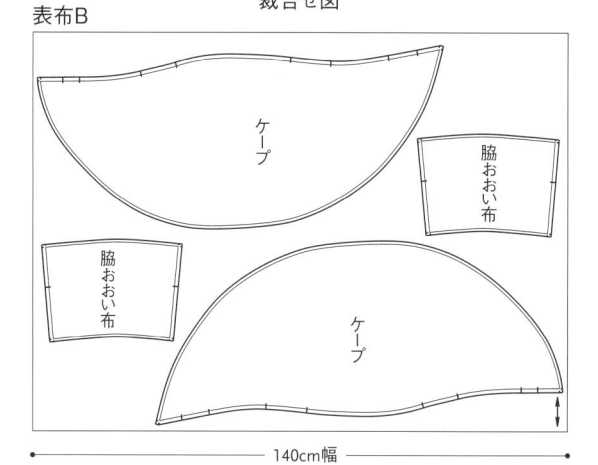

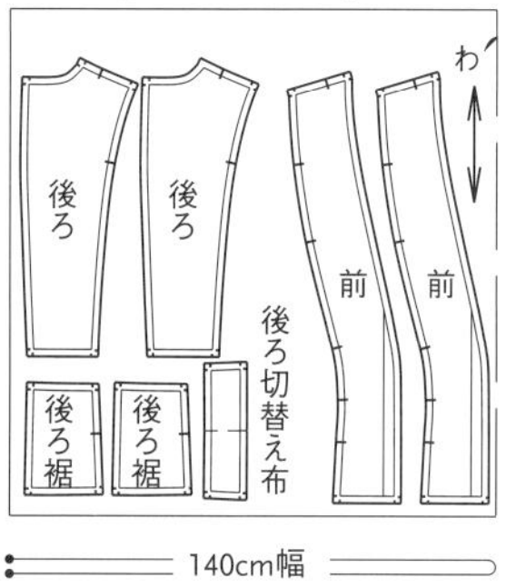

前　　　　　　　　　　　　　　後ろ

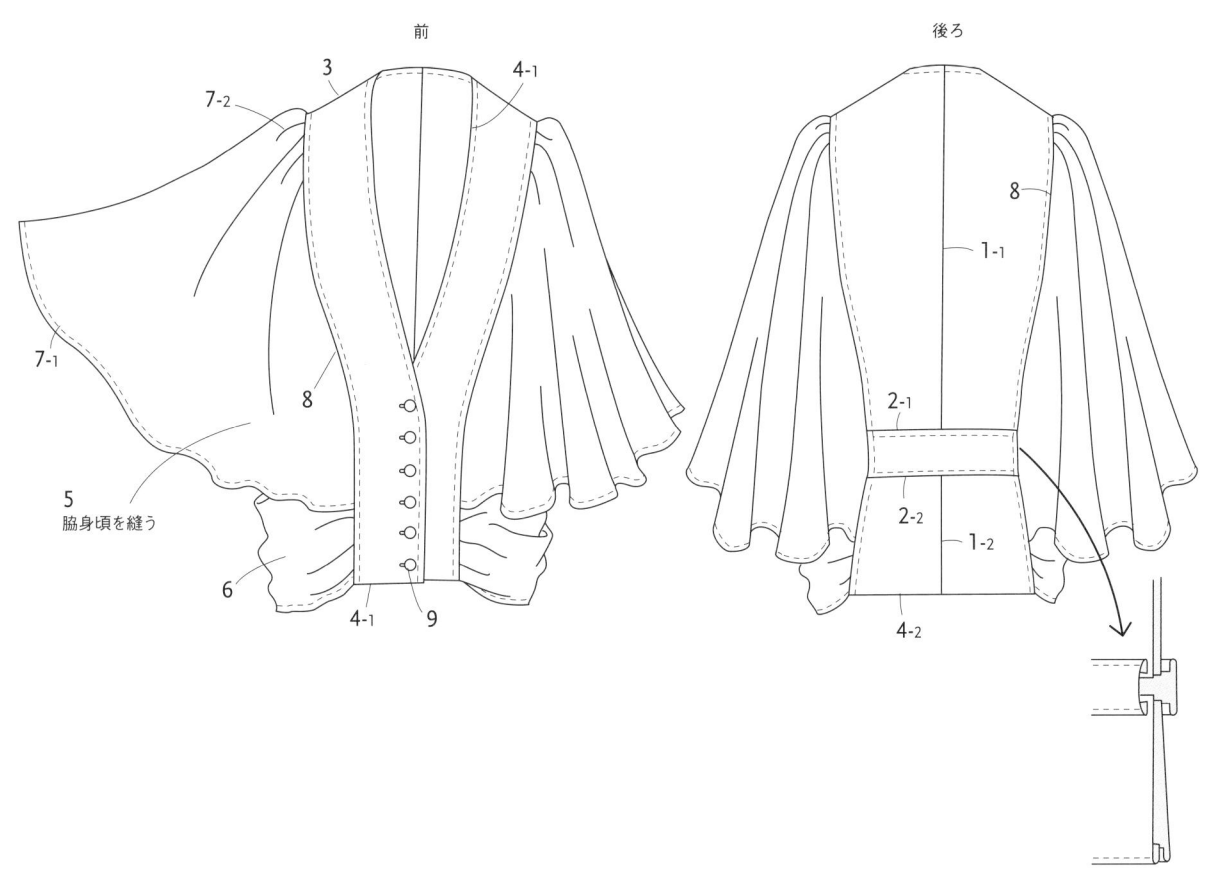

5 脇身頃を縫う

5 脇布の縫合せ方

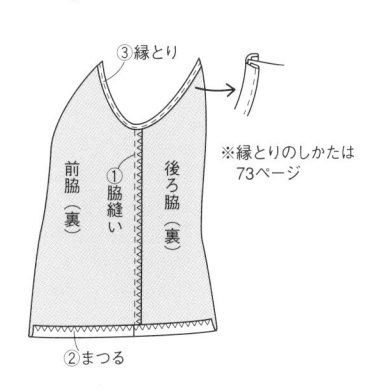

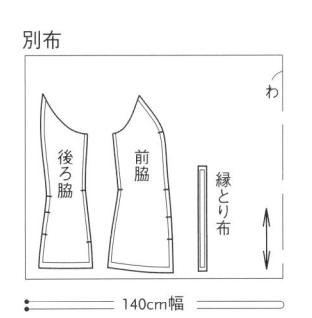

③縁とり
①脇縫い
前脇（裏）　後ろ脇（裏）
②まつる

※縁とりのしかたは73ページ

8 脇身頃、脇おおい布、ケープのつけ方

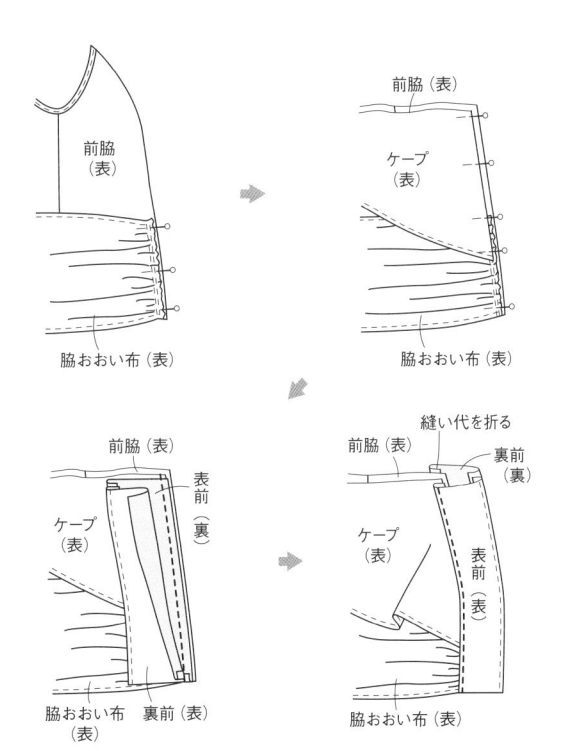

前脇（表）
前脇（表）　ケープ（表）
脇おおい布（表）　脇おおい布（表）

前脇（表）　前脇（表）
表前（裏）　縫い代を折る
ケープ（表）　裏前（裏）
脇おおい布（裏前（表）　ケープ（表）
脇おおい布（表）　表前（表）

別布

後ろ脇　前脇　縁とり布　わ

140cm幅

45

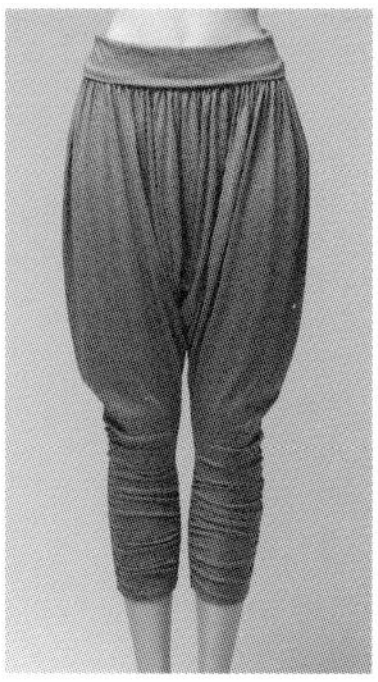

no.2 gather drape pants

page 6

ギャザー ドレープ パンツ

◆ **必要なパターン（A面）**

前、後ろ、前後ウエスト布

◆ **縫い方順序**

1. 裾を折り上げてステッチ。
2. 前後の脇を縫い合わせる。
3. 前後の股下を縫い合わせる。
4. 脇と股下の裾側縫い代に、ゴムテープを伸ばしてつける。→図
5. ウエスト布の両脇を縫い合わせ、輪にする。
6. パンツのウエストにギャザーを寄せる。→図
7. ウエスト布を伸ばしてパンツのウエストと縫い合わせる。

◆ **使用量**

表布（コットン天竺）
＝135cm幅
（S、M）2m10cm
（ML、L）2m30cm
0.5cm幅のゴムテープ　適宜

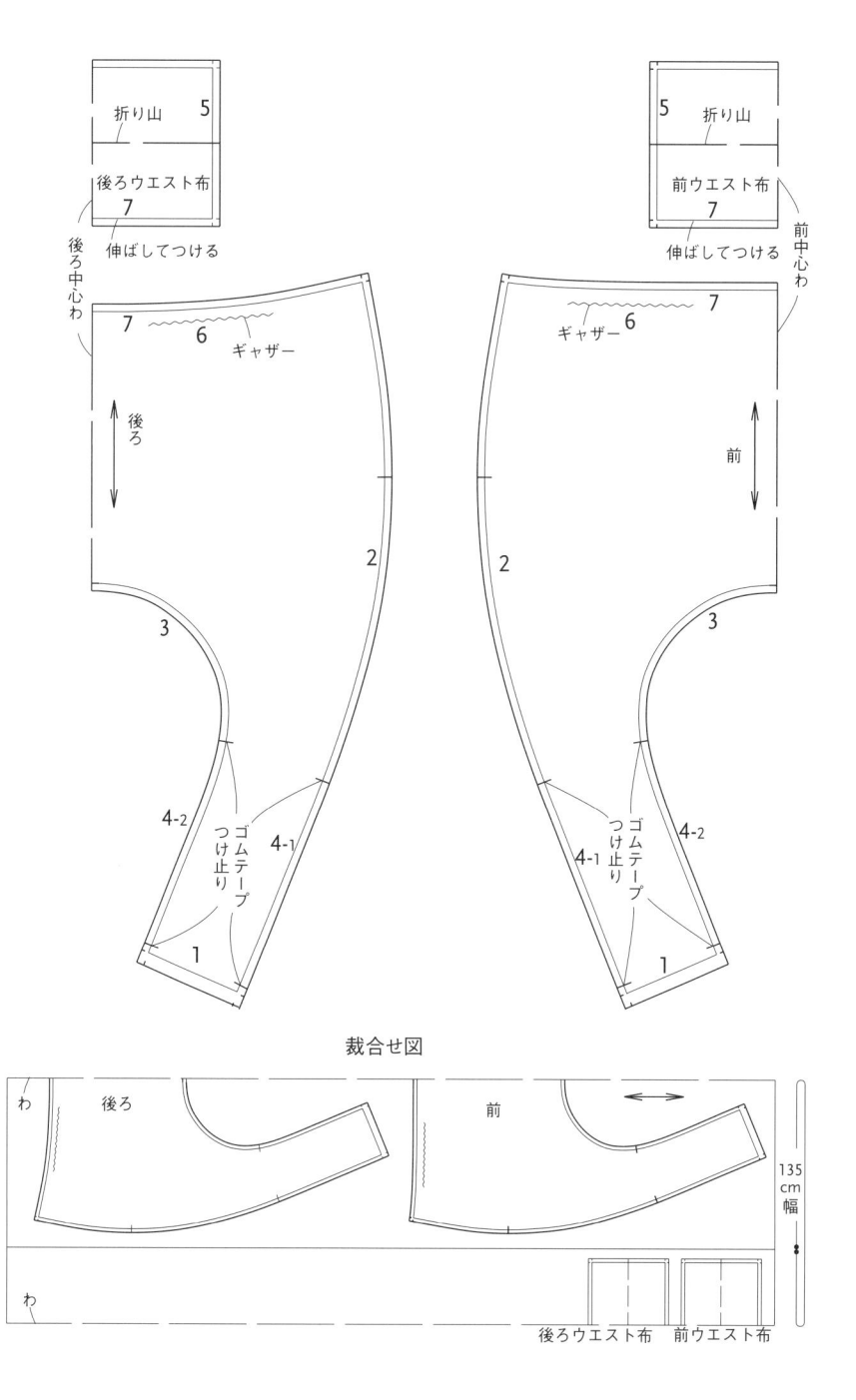

裁合せ図

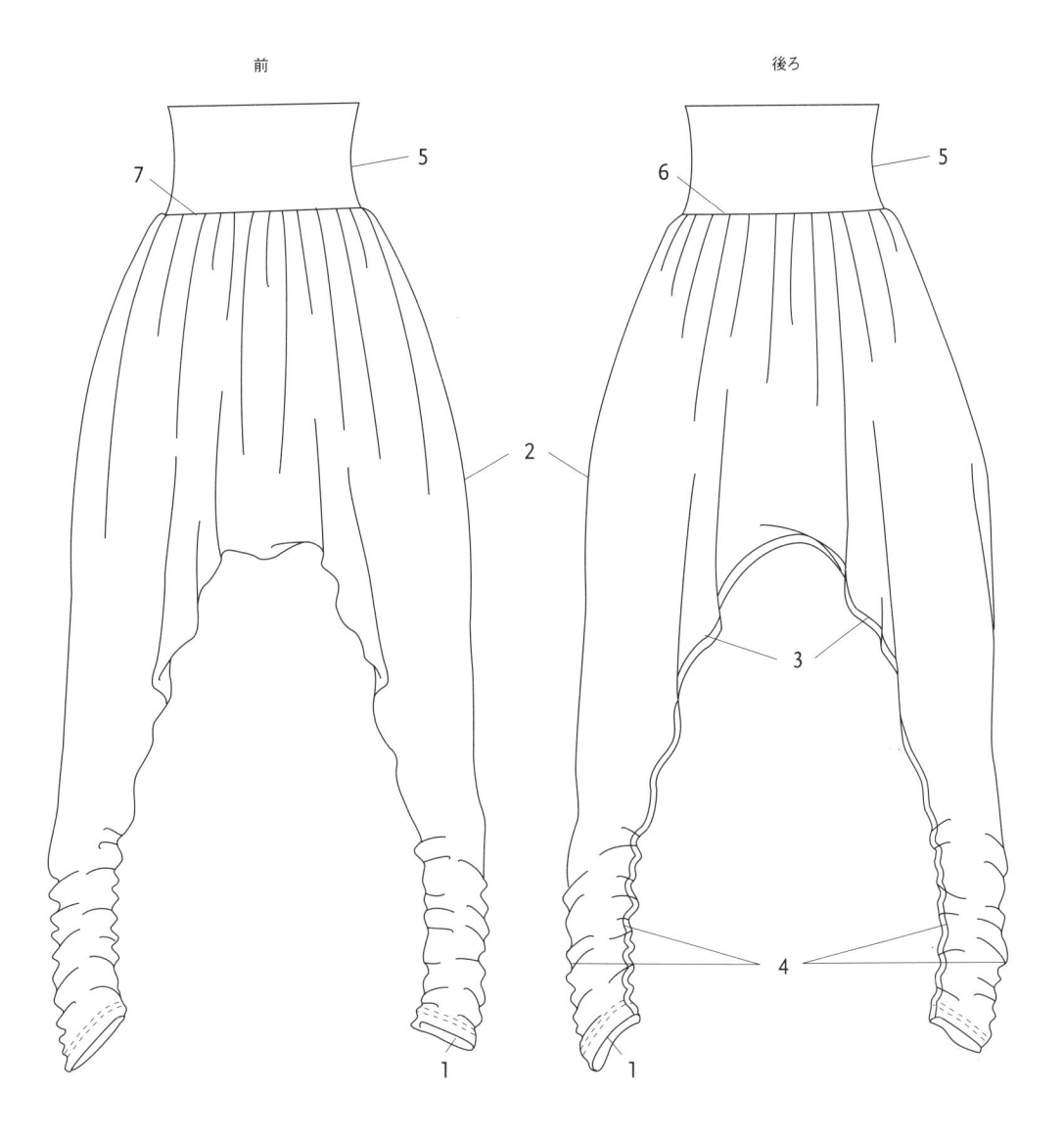

前　　　　　　　　　　　　　　　　後ろ

4 脇と股下のゴムテープのつけ方

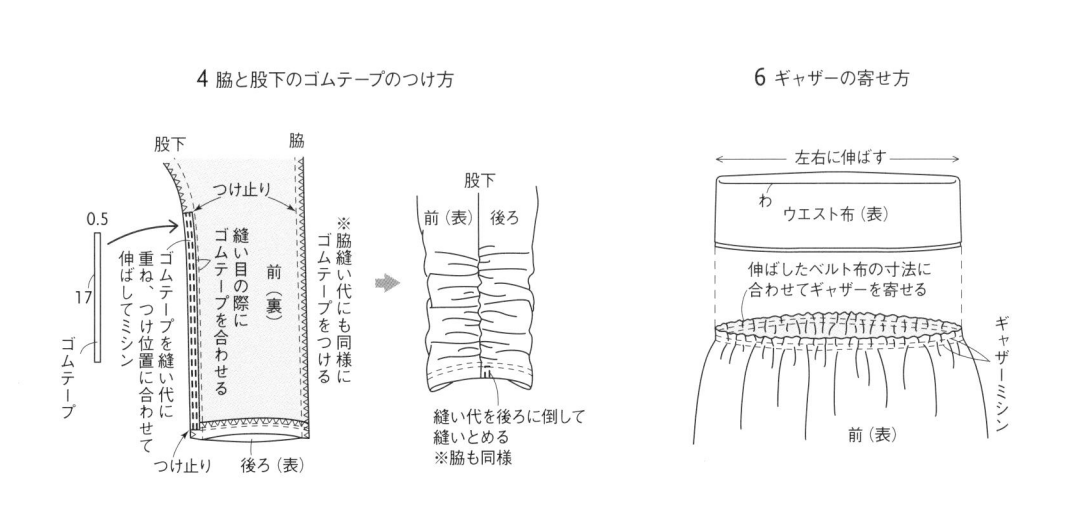

股下　　脇

つけ止り

※脇縫い代にもゴムテープをつける

ゴムテープを縫い代に重ね、つけ位置に合わせて伸ばしてミシン

縫い目の際にゴムテープを合わせる

前（裏）

0.5

17

ゴムテープ

つけ止り　　後ろ（表）

股下

前（表）　後ろ

縫い代を後ろに倒して縫いとめる
※脇も同様

6 ギャザーの寄せ方

左右に伸ばす

わ

ウエスト布（表）

伸ばしたベルト布の寸法に合わせてギャザーを寄せる

ギャザーミシン

前（表）

no.3 gather drape dress

page 7

ギャザー ドレープ ドレス

◆ 必要なパターン（A面）
前後（身頃側とスカート側を突き合わせる）

◆ 縫い方順序
1. 衿ぐり、袖ぐりを三つ折り端ミシンで始末。袖ぐりは後ろ切替え線とつながっているので、袖つけ止に切込みを入れ、袖ぐりだけを始末する。→図
2. 袖にギャザーを寄せ、身頃と縫い合わせる。→図
3. スカートのギャザーを寄せ、上身頃と縫い合わせる。→図
4. 後ろ中心を縫い、コンシールファスナーをつける。ファスナーのつけ方→p.57
5. 裾を折り上げてステッチ。

◆ 使用量
表布（ウール天竺）
＝150cm幅
（S）1m10cm
（M）1m20cm
（ML）1m30cm
（L）1m40cm
56cmのコンシールファスナー1本

裁合せ図

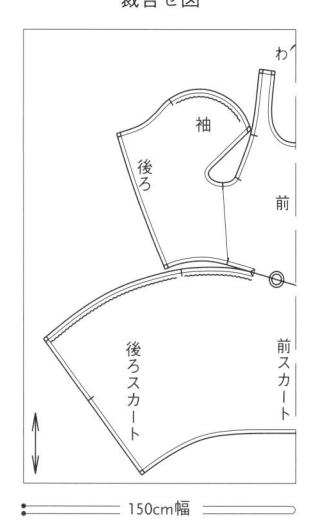

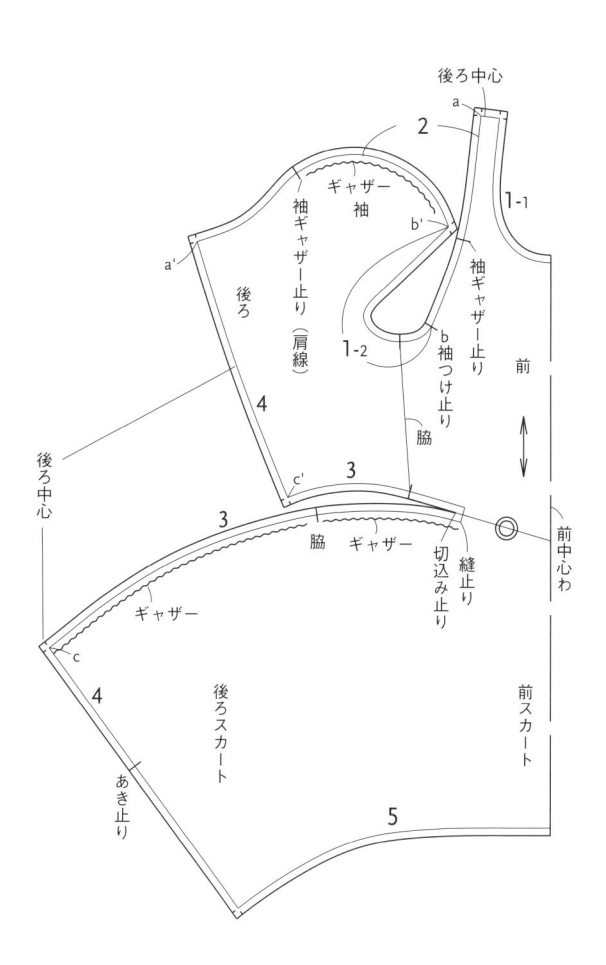

150cm幅

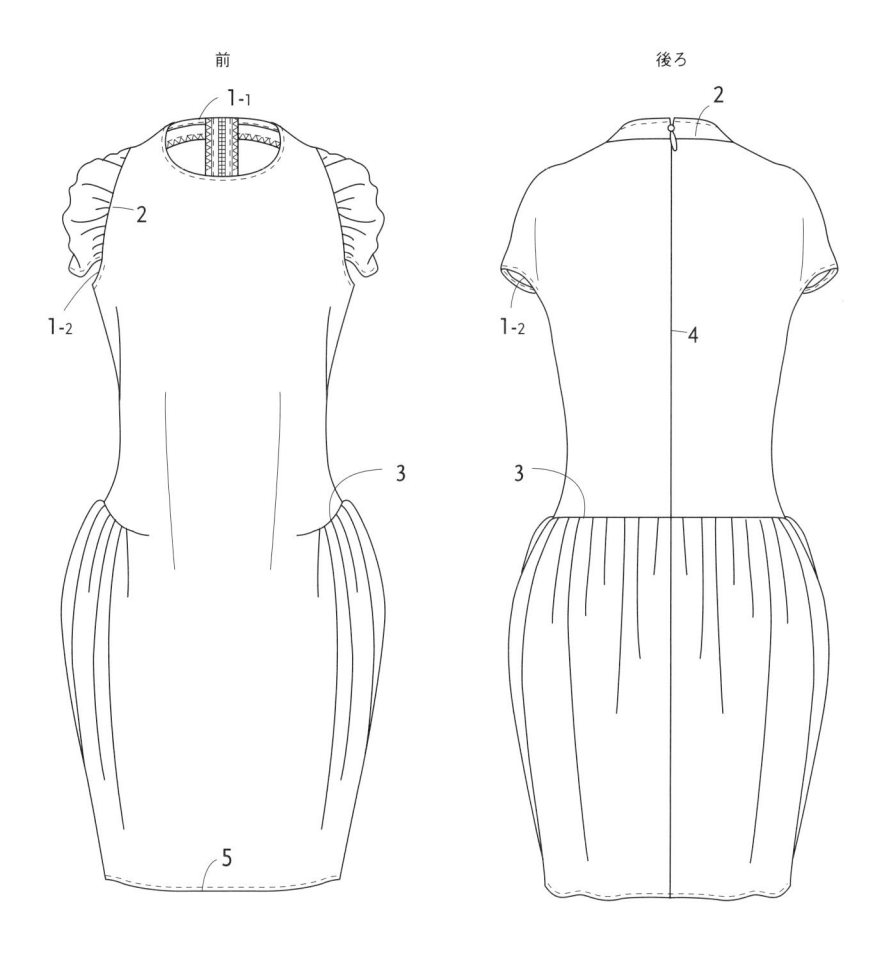

前　　　　　　　　　　　後ろ

1, 2 衿ぐり、袖ぐりの始末と袖つけ

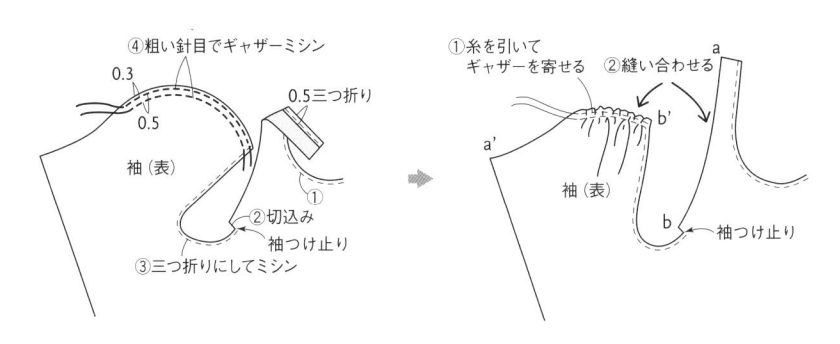

④粗い針目でギャザーミシン
0.3
0.5
0.5三つ折り
袖(表)
②切込み
袖つけ止り
③三つ折りにしてミシン

①糸を引いてギャザーを寄せる
②縫い合わせる
a
a'
b'
袖(表)
b
袖つけ止り

4 スカートと身頃の縫合せ方

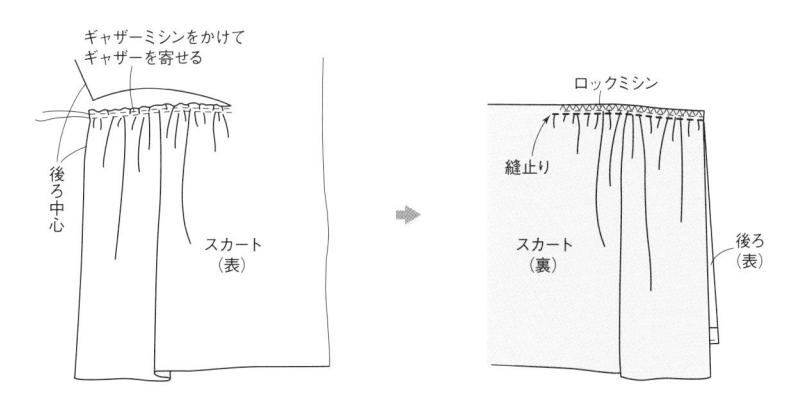

ギャザーミシンをかけてギャザーを寄せる
後ろ中心
スカート(表)

ロックミシン
縫止り
スカート(裏)
後ろ(表)

no.4 drape drape dress

cover, page 8

ドレープ ドレープ ドレス

◆ 必要なパターン（B面）

前（おおい布側、衿側、裾側、裾脇側を突き合わせる）、
後ろ（おおい布側、衿側、裾側を突き合わせる）、
おおい布通し、後ろ見返し、前見返し、裏前、裏後ろ

◆ 縫い方順序

※ 前後見返しに接着芯を張る。

1. 前後おおい布の外回りを三つ折り端ミシンで始末する。→図 p.52
2. 後ろ身頃衿側のタックをたたむ。→図
3. 前身頃衿側のタックをたたむ。→図
4. 身頃、見返しの肩をそれぞれ縫い合わせる。→図
5. おおい布通しを作り、左肩に仮どめ。→図
6. 衿ぐりを見返しで縫い返す。→図
7. 袖ぐりを見返しで縫い返す。
8. 身頃と見返しの脇を続けて縫い、袖ぐりの縫い代に押えミシンをかける。
9. 前身頃衿側のタックを整え、おおい布通しの陰で縫いとめる。
10. 裏布の脇を縫う。
11. 表身頃裾側のタックをたたみ、裏布の裾と縫い合わせる。
12. 裏身頃の上端縫い代を折り、見返しにまつりつける。

◆ 使用量

表布（マットジャージー）
＝150cm幅
（S）3m10cm、（M）3m10cm
（ML）3m10cm、（L）3m10cm
裏布（ニット用）
＝90cm幅
（S）1m50cm、（M）1m60cm
（ML）1m70cm、（L）1m80cm
接着芯（ニット用）
＝90cm幅30cm

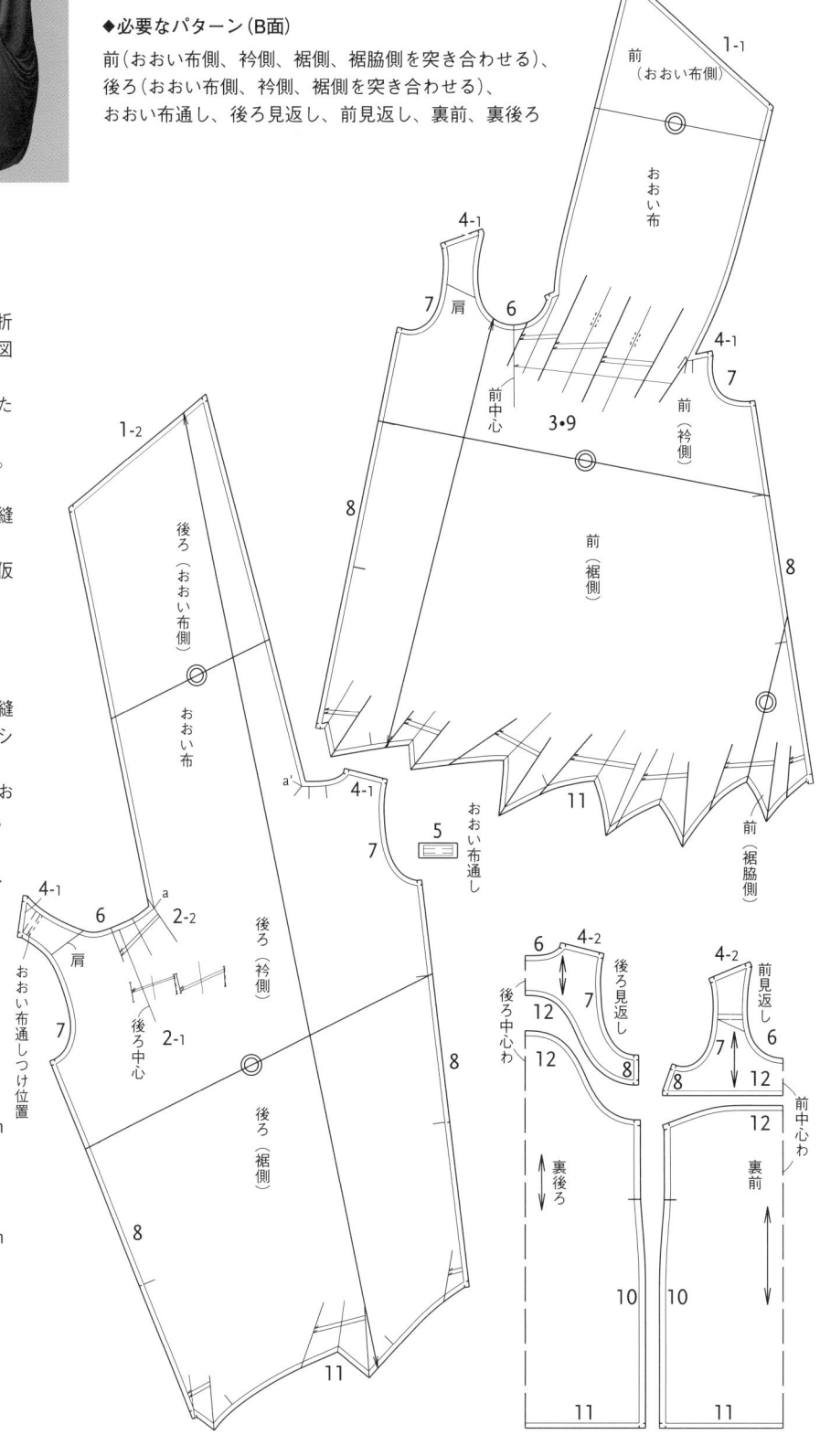

前　　　　　　　　　　　　　　左脇（後ろ→P.52）

裁合せ図

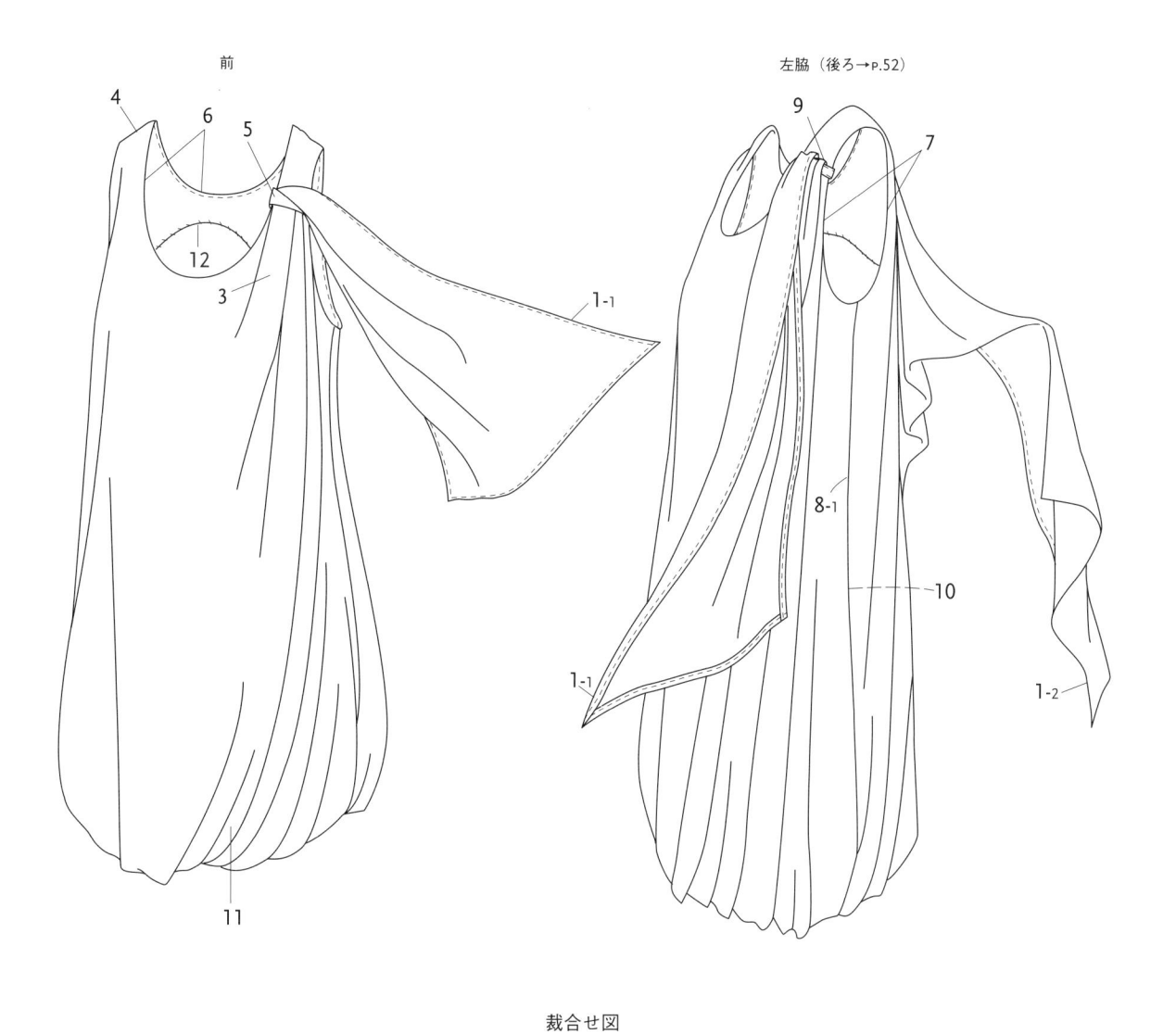

前　おおい布　前見返し　後ろ見返し

おおい布　後ろ

おおい布通し

150cm幅

no.4 drape drape dress

cover, page 8

ドレープ ドレープ ドレス

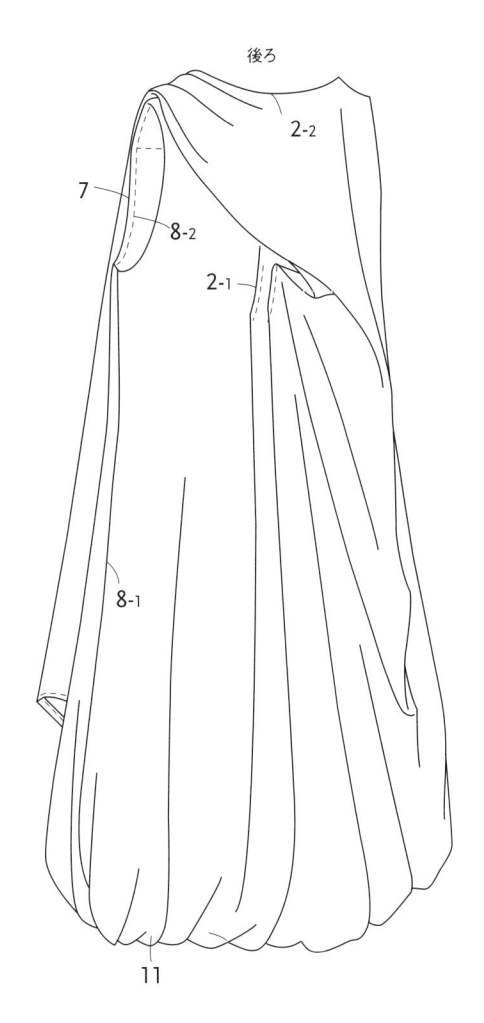

1 おおい布の外回りの始末

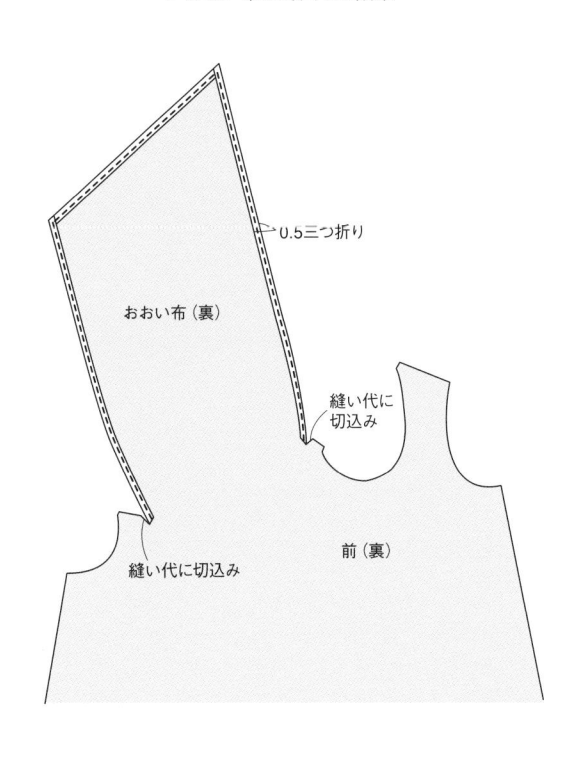

後ろ
2-2
7
8-2
2-1
8-1
11

0.5三つ折り
おおい布（裏）
縫い代に切込み
縫い代に切込み
前（裏）

2 後ろのタックのたたみ方

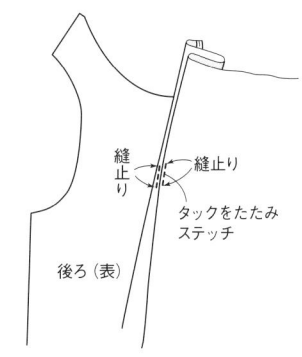

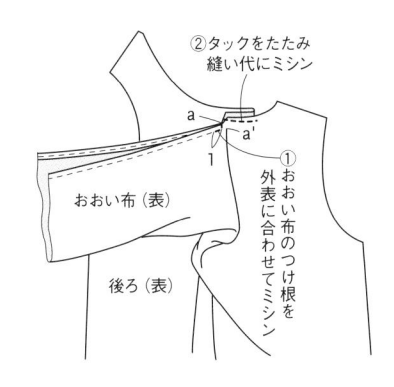

縫止り
縫止り
タックをたたみ
ステッチ
後ろ（表）

②タックをたたみ
縫い代にミシン
a　a'
1
おおい布（表）
①おおい布のつけ根を外表に合わせてミシン
後ろ（表）

3 前のタックのたたみ方

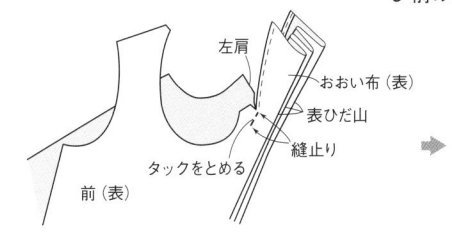

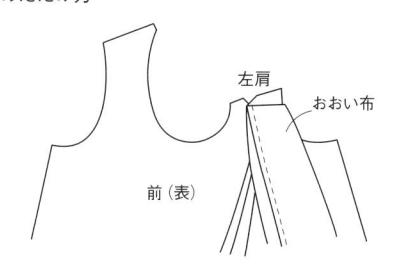

左肩
おおい布（表）
表ひだ山
タックをとめる
縫止り
前（表）

左肩
おおい布
前（表）

4 肩の縫い方

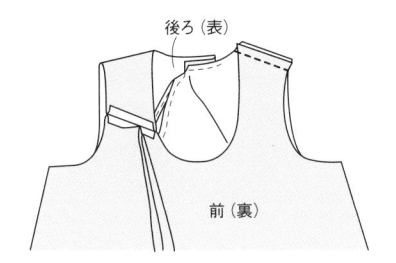

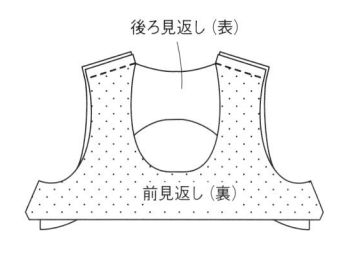

後ろ（表）
前（裏）
後ろ見返し（表）
前見返し（裏）

5 おおい布通しのつけ方

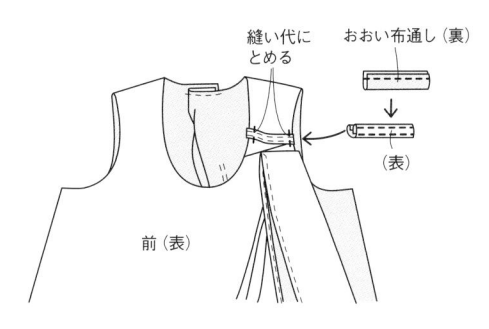

縫い代にとめる
おおい布通し（裏）
（表）
前（表）

6 衿ぐりの縫い方

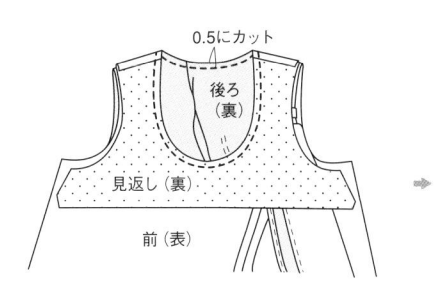

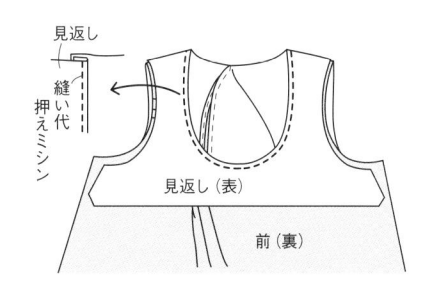

0.5にカット
後ろ（裏）
見返し（裏）
前（表）
見返し
縫い代
押えミシン
見返し（表）
前（裏）

9 前タックのとめ方

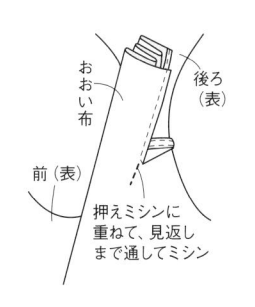

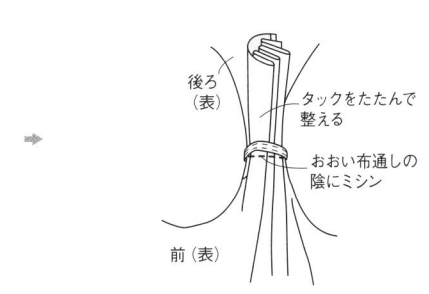

おおい布
後ろ（表）
前（表）
押えミシンに重ねて、見返しまで通してミシン
後ろ（表）
タックをたたんで整える
おおい布通しの陰にミシン
前（表）

no.5 drape drape dress

page 1, 9, 30, 31

ドレープ ドレープ ドレス

◆ 必要なパターン（B面）

後ろ・裏後ろ、前、裏前、後ろウエスト布・裏後ろウエスト布、前ウエスト布・裏前ウエスト布、前後スカート（前側と後ろ側を突き合わせる）

◆ 縫い方順序

※ 表ウエスト布に接着芯を張る。
1. 表前にギャザーを寄せる。
2. 裏前のダーツを縫う。
3. 表、裏身頃の肩をそれぞれ縫い合わせる。
4. 表、裏身頃の衿ぐりを縫い合わせる。→p.56図
5. 表、裏身頃の袖ぐりを中表に合わせ、脇から3〜4cmを残して縫い、表に返す。
6. 表身頃、裏身頃の脇をそれぞれ縫い合わせる。
7. 縫い残した袖ぐりを中表に縫う。→図
8. 前中心を合わせて左右の前身頃を重ね、仮どめする。→図
9. 表、裏ウエスト布の脇をそれぞれ縫い合わせる。
10. 表、裏ウエスト布を中表に合わせ、上側に身頃をはさんで縫う。
11. 前後スカートのタックをたたんで仮どめする。→図
12. スカートの前中心を縫い合わせる。
13. スカートの後ろ中心のあき止りから下を縫う。
14. 裾を三つ折り端ミシンで始末。
15. 表ウエスト布とスカートを縫い合わせる。
16. 裏ウエスト布の下側を落しミシンで押さえる。
17. 後ろ中心にコンシールファスナーをつける。→図

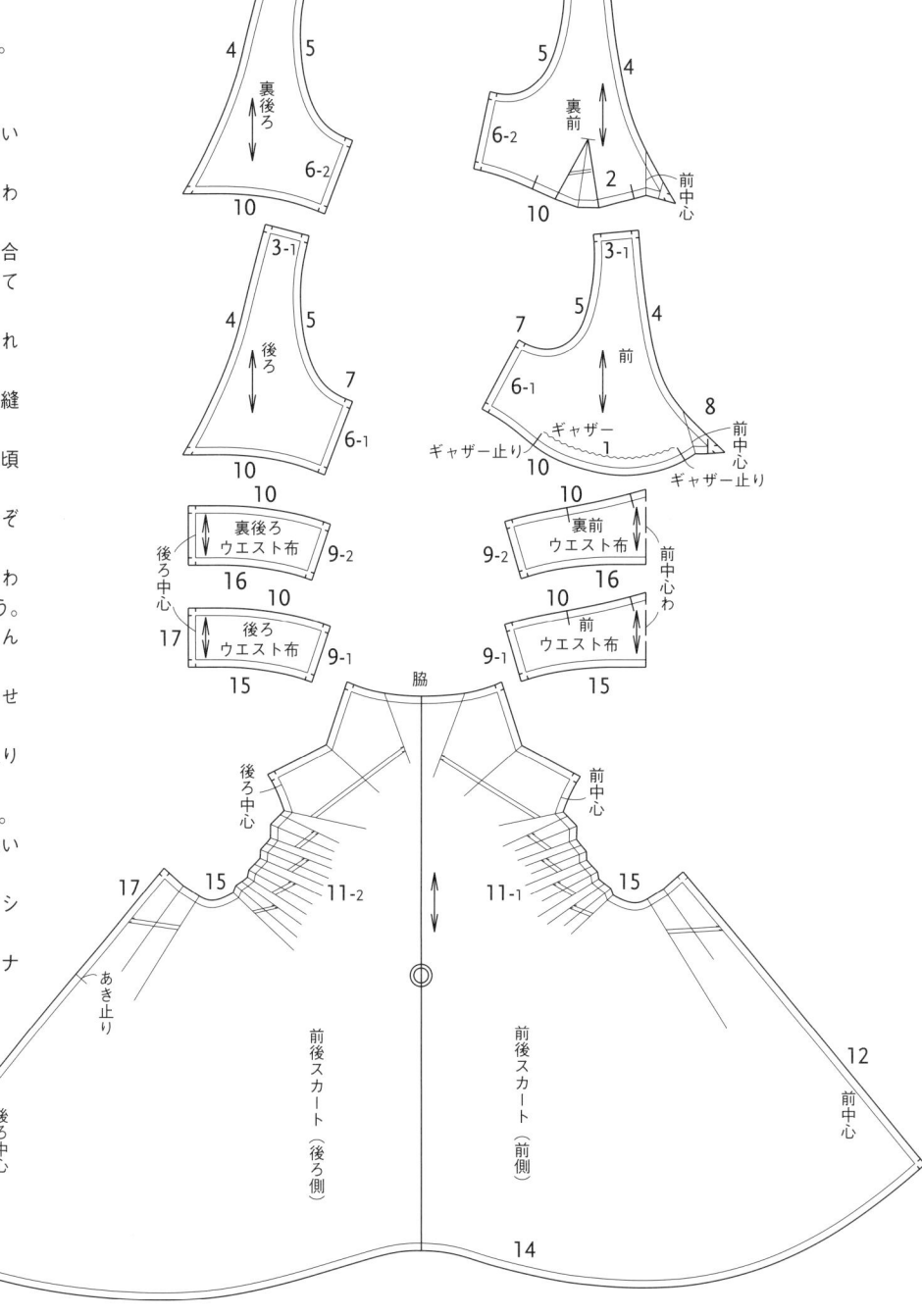

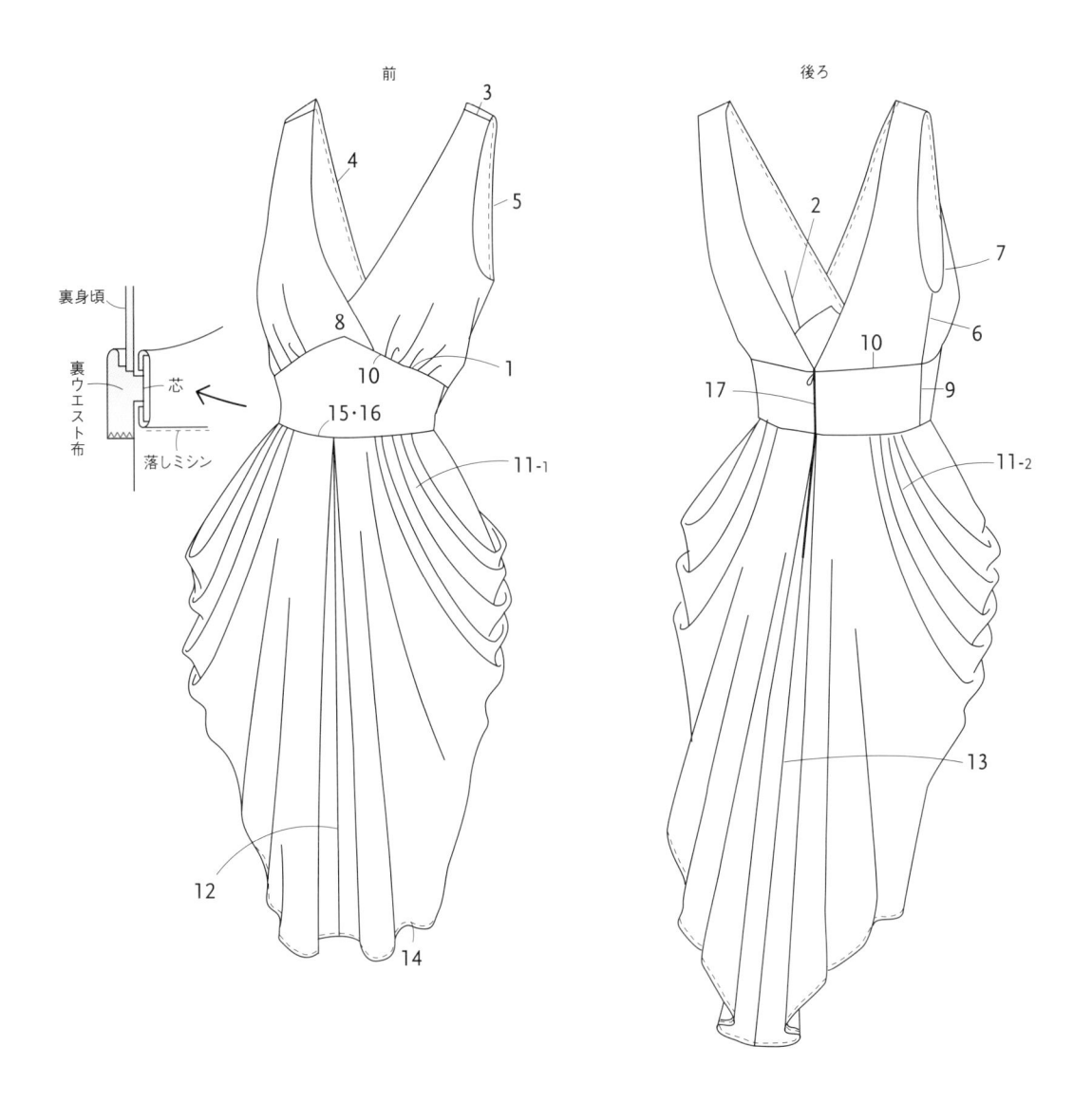

前　　　　　　　　　　　　　後ろ

裏身頃
裏ウエスト布
芯
落しミシン

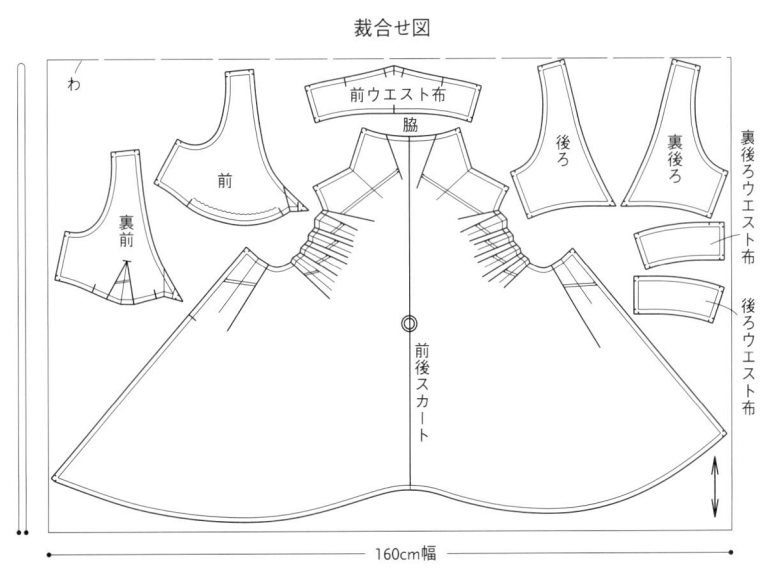

◆ 使用量
表布（マットジャージー）
＝160cm幅
（S、M）2m
（ML、L）2m10cm
接着芯＝90cm幅20cm
56cmのコンシールファスナー1本

裁合せ図

わ
前ウエスト布
脇
前
裏前
後ろ
裏後ろ
裏後ろウエスト布
後ろウエスト布
前後スカート
160cm幅

55

no.5 drape drape dress

ドレープ ドレープ ドレス

page 1, 9, 30, 31

4 衿ぐりの縫合せ方

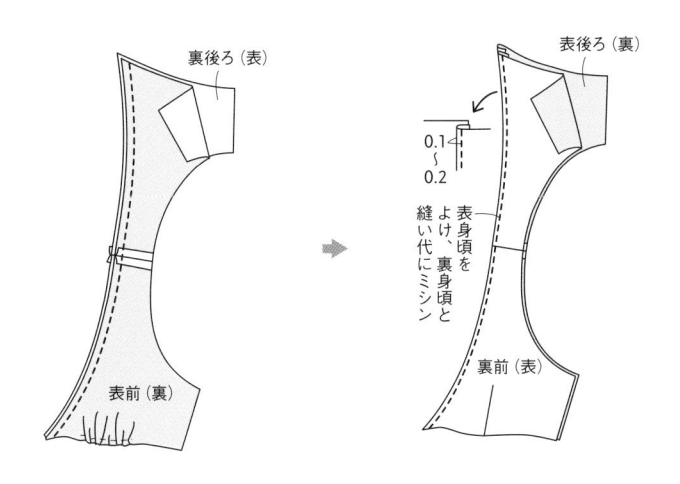

裏後ろ（表）
表前（裏）
表後ろ（裏）
裏前（表）
0.1～0.2
表身頃をよけ、裏身頃と縫い代にミシン

7 袖ぐりの始末

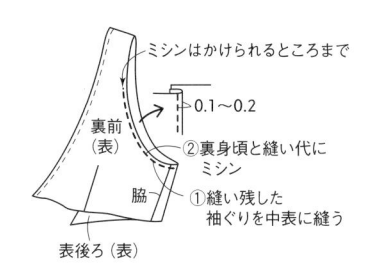

ミシンはかけられるところまで
裏前（表）
脇
表後ろ（表）
0.1～0.2
②裏身頃と縫い代にミシン
①縫い残した袖ぐりを中表に縫う

8 前中心の合せ方

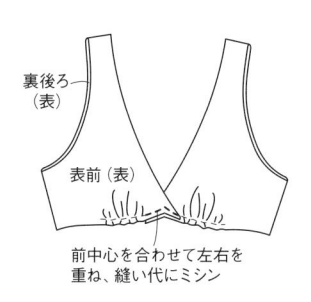

裏後ろ（表）
表前（表）
前中心を合わせて左右を重ね、縫い代にミシン

11 タックのたたみ方

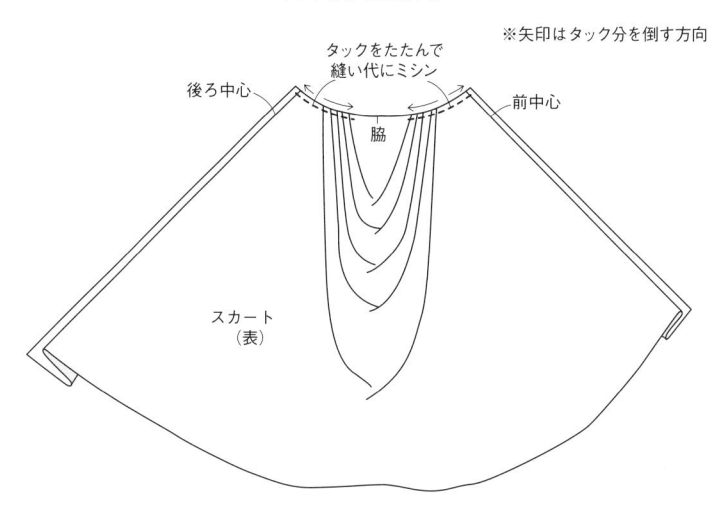

※矢印はタック分を倒す方向
後ろ中心
タックをたたんで縫い代にミシン
脇
前中心
スカート（表）

17 コンシールファスナーのつけ方

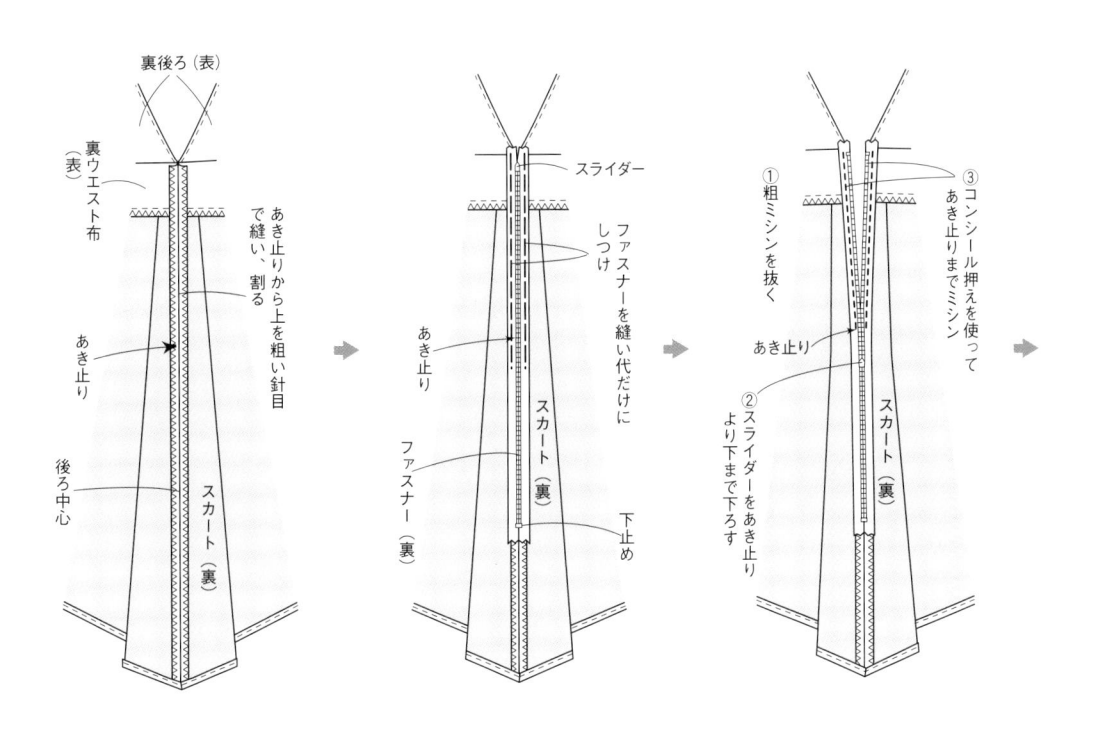

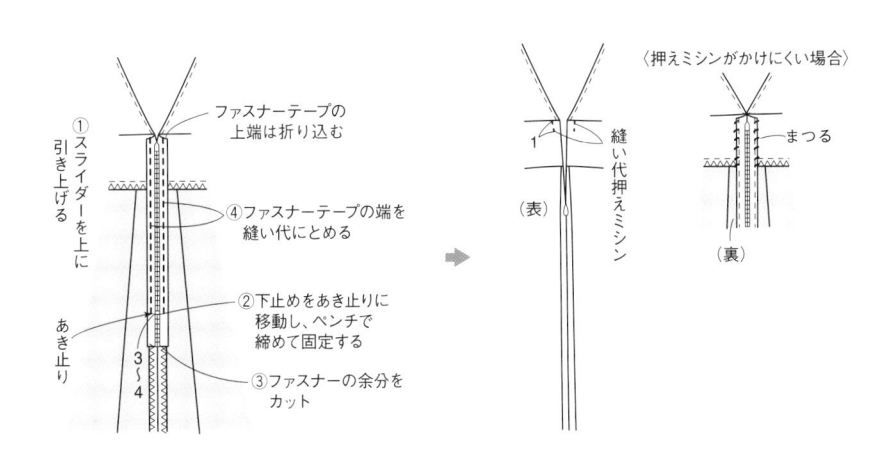

図1:
- 裏後ろ（表）
- 裏ウエスト布（表）
- あき止り
- 後ろ中心
- スカート（裏）
- あき止りから上を粗い針目で縫い、割る

図2:
- スライダー
- あき止り
- ファスナー（裏）
- スカート（裏）
- ファスナーを縫い代だけにしつけ
- 下止め

図3:
- ①粗ミシンを抜く
- あき止り
- ②スライダーをあき止りより下まで下ろす
- スカート（裏）
- ③コンシール押えを使ってあき止りまでミシン

図4:
- ①スライダーを上に引き上げる
- あき止り
- 3〜4
- ファスナーテープの上端は折り込む
- ④ファスナーテープの端を縫い代にとめる
- ②下止めをあき止りに移動し、ペンチで締めて固定する
- ③ファスナーの余分をカット

図5:
- 1
- （表）
- 縫い代押えミシン

〈押えミシンがかけにくい場合〉
- まつる
- （裏）

no.6 drape drape gather dress

page 10, 11

ドレープ ドレープ ギャザー ドレス

◆ 必要なパターン（B面）

右上、左上、右下、左下（上下左右を突き合わせる）、後ろ衿ぐり縁とり布、前衿ぐり縁とり布、袖ぐり縁とり布

◆ 縫い方順序
1. 肩を縫い合わせる。
2. 後ろ中心を縫い合わせる。
3. 袖ぐりを縁とりする。
4. 後ろ衿ぐりにギャザーを寄せ（図）、タックをたたんで仮どめをする。
5. 衿ぐりを縁とりする。
6. 裾を折り上げてステッチ。

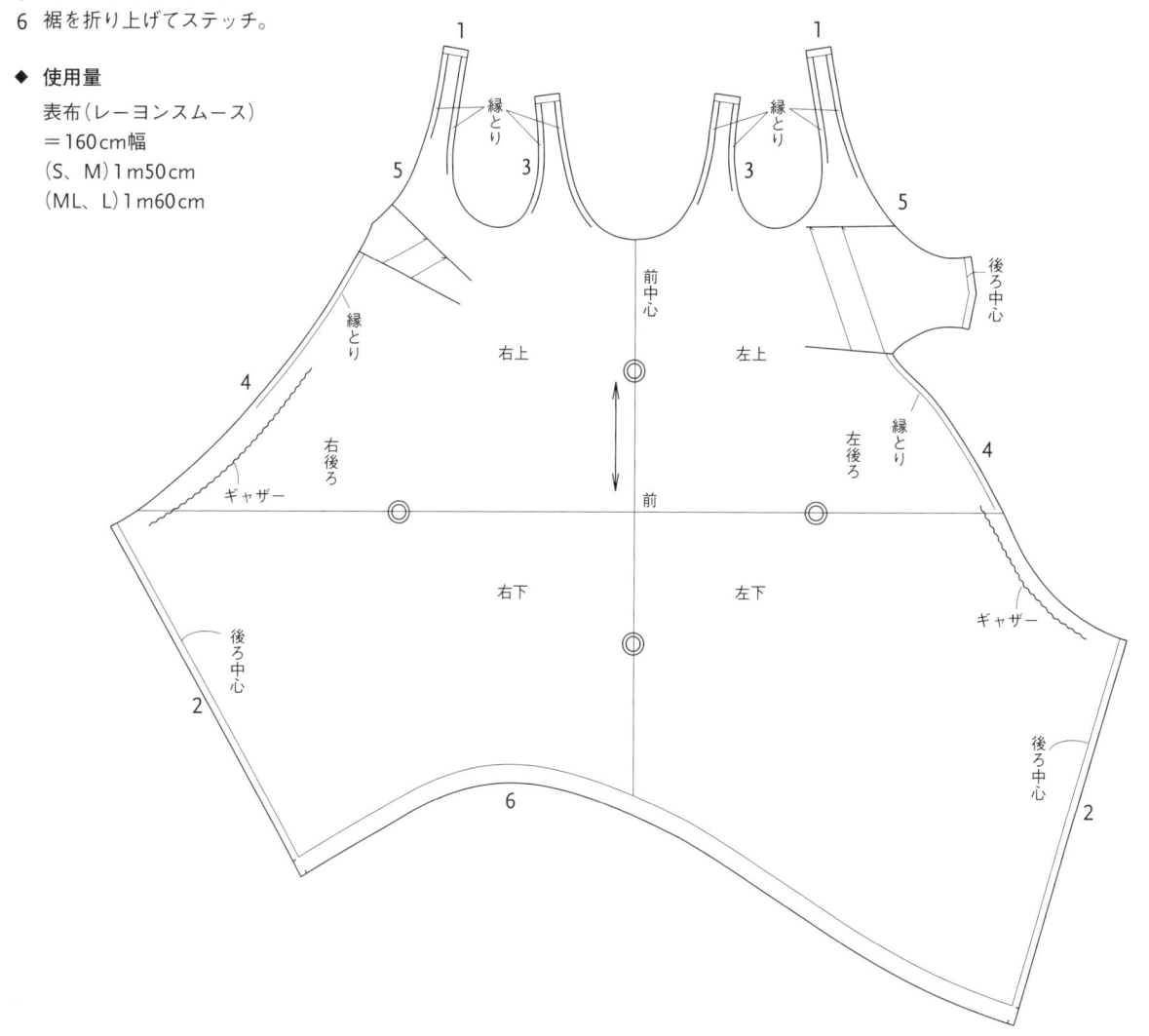

◆ 使用量
表布（レーヨンスムース）
＝160cm幅
（S、M）1m50cm
（ML、L）1m60cm

前　　　　　　　　　　　　後ろ

1
3

1
5
4
2

6

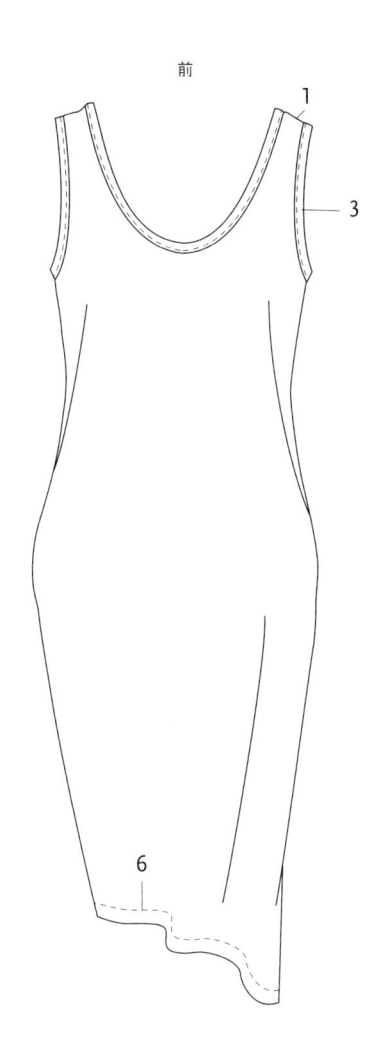

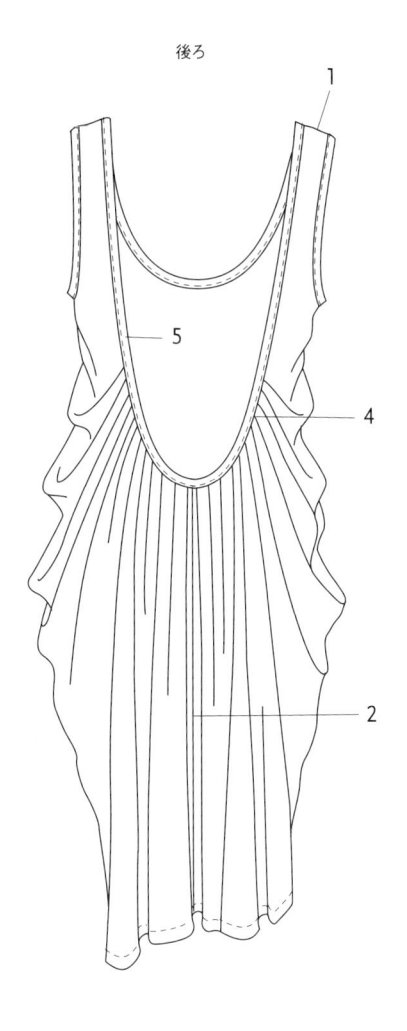

裁合せ図

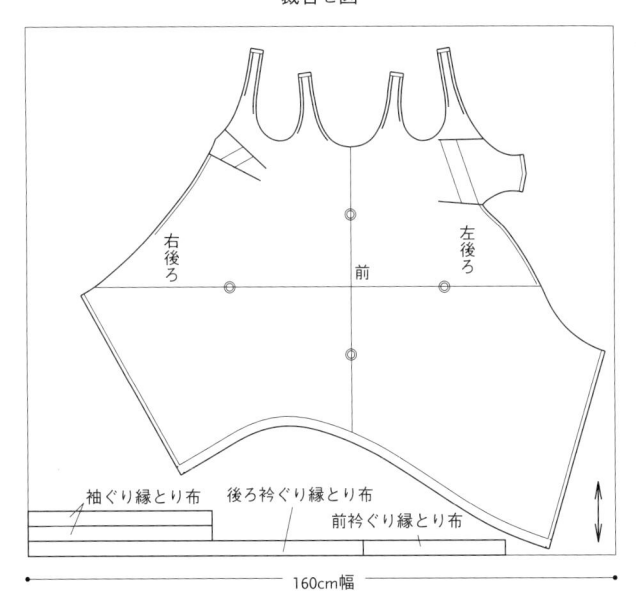

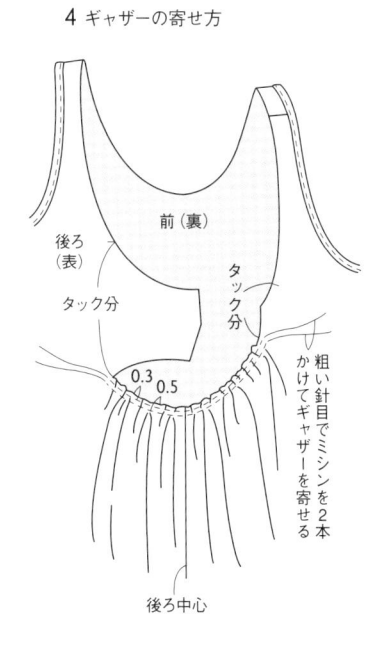

右後ろ　　前　　左後ろ

袖ぐり縁とり布
後ろ衿ぐり縁とり布
前衿ぐり縁とり布

160cm幅

4 ギャザーの寄せ方

前（裏）
後ろ（表）
タック分　タック分
0.3　0.5
粗い針目でミシンを2本かけてギャザーを寄せる

後ろ中心

no.7 gather drape blouse

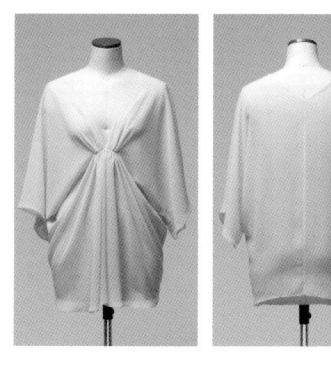

page 12, 13

ギャザー ドレープ ブラウス

◆ 必要なパターン（C面）

前、後ろ（前側と後ろ側を突き合わせる）

◆ 縫い方順序

1. 前後の裾、袖口、衿ぐりを三つ折り端ミシンで始末。
2. 前中心を袋縫い（→p.65）で縫い合わせる。
3. 前のギャザーを寄せ、さらに中心のタックをたたんで縫いとめる。→図
4. 後ろ中心を袋縫いで縫い合わせる。
5. 袖口から裾まで、脇を袋縫いで縫い合わせる。

◆ 使用量

表布（ポリエステルシフォン）
＝ 112cm幅
（S、M）3m20cm
（ML、L）3m40cm

裁合せ図

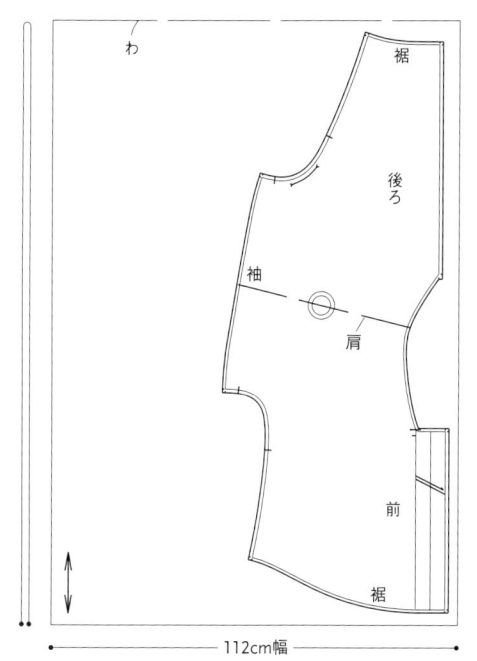

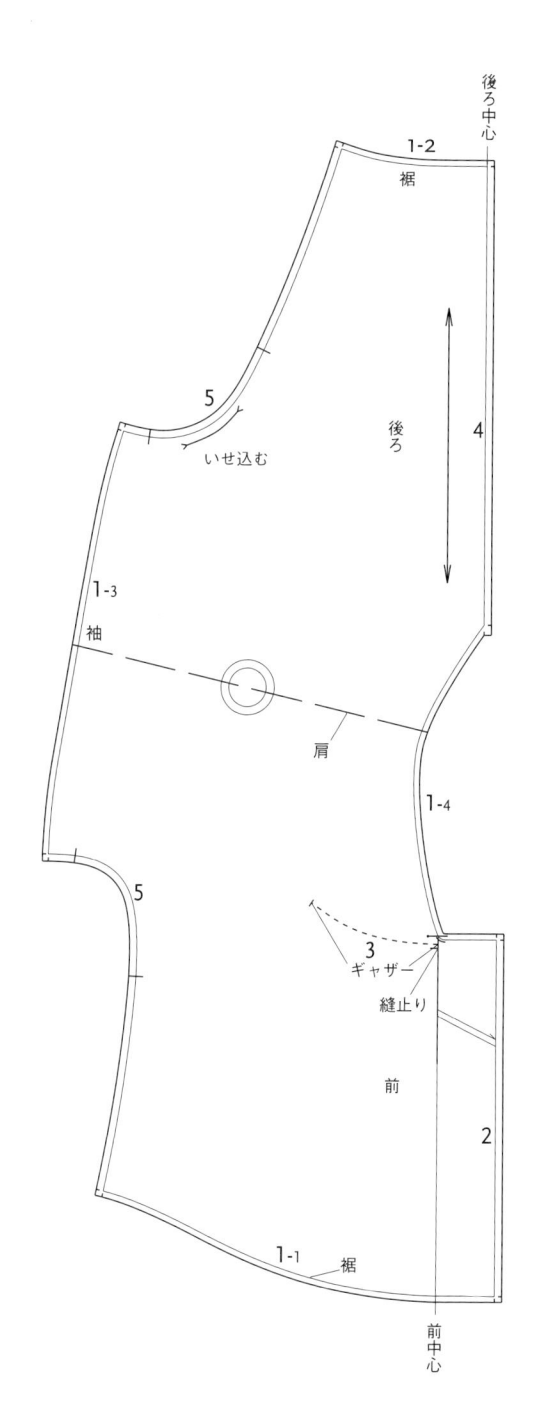

前　　　　　　　　　　　　後ろ

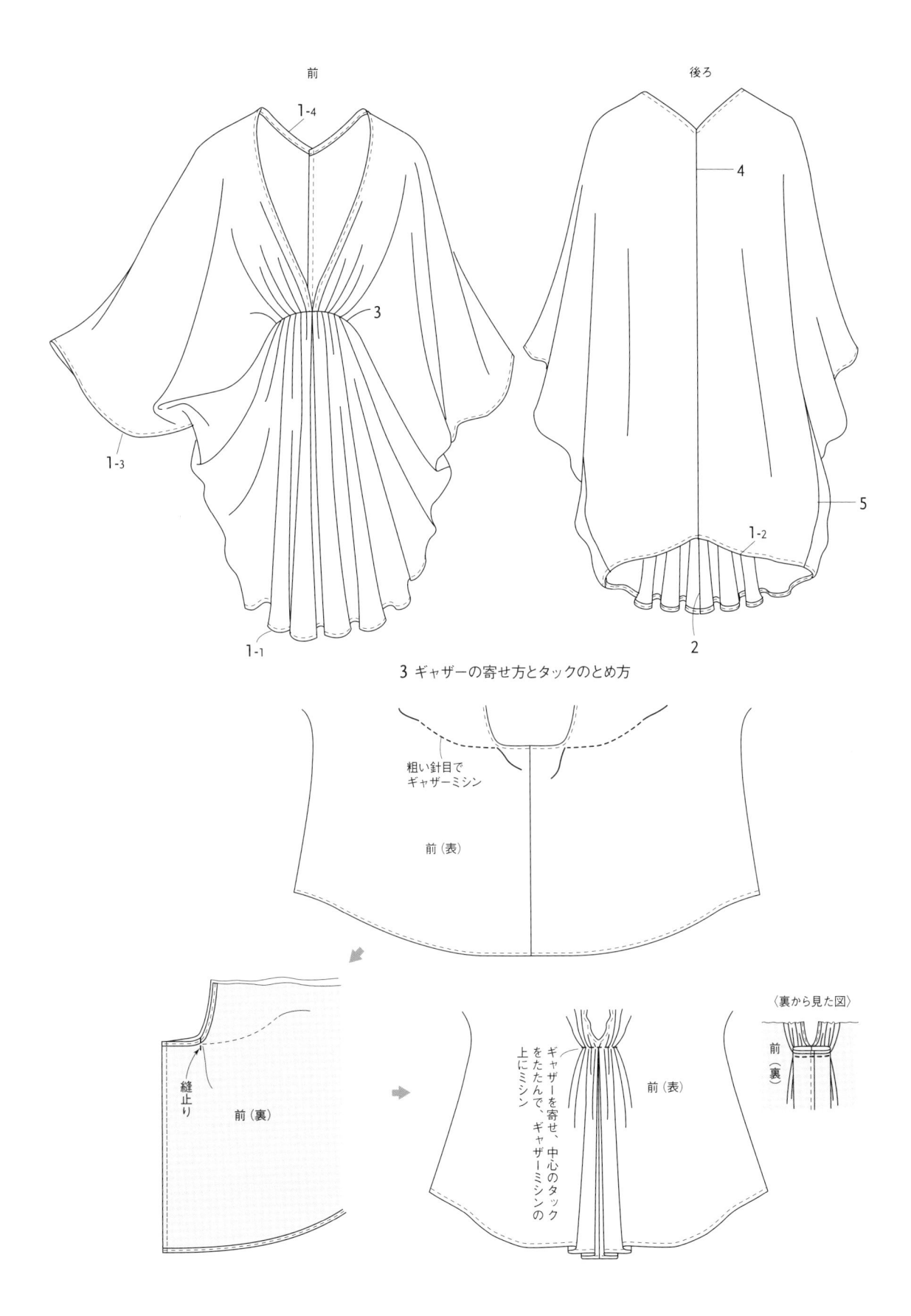

1-4
1-3
3
1-1

4
1-2
2
5

3 ギャザーの寄せ方とタックのとめ方

粗い針目で
ギャザーミシン

前（表）

縫止り
前（裏）

ギャザーを寄せ、中心のタックをたたんで、ギャザーミシンの上にミシン

前（表）

〈裏から見た図〉
前（裏）

61

no.8 drape drape all-in-one

page 14, 25

ドレープ ドレープ オールインワン

◆ 必要なパターン（C面）
前、後ろ（前側と後ろ側を突き合わせる）、衿

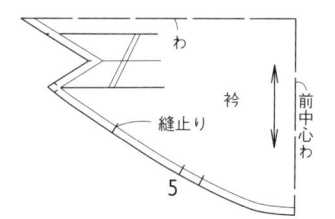

◆ 縫い方順序
1. 後ろ衿ぐり、前後の袖ぐりの縫い代を、それぞれ縫止りまで折ってステッチで押さえる。
2. 股下を縫い合わせる。
3. 裾を折り上げてステッチ。
4. 前後の股ぐりを続けて縫い合わせる。
5. 前中心、衿のタックをたたみ、前衿ぐりに衿をつける。→図
6. 後ろのタックを中縫いし、後ろ中心にとめる。→図
7. 肩を縫い合わせる。
8. 袖ぐり、衿ぐりの縫止りから上の肩の部分を、前後に分けて縫い合わせて筒状にする。→図

◆ 使用量
表布（シルク天竺）
＝150cm幅
（S、M）2m40cm
（ML、L）2m60cm

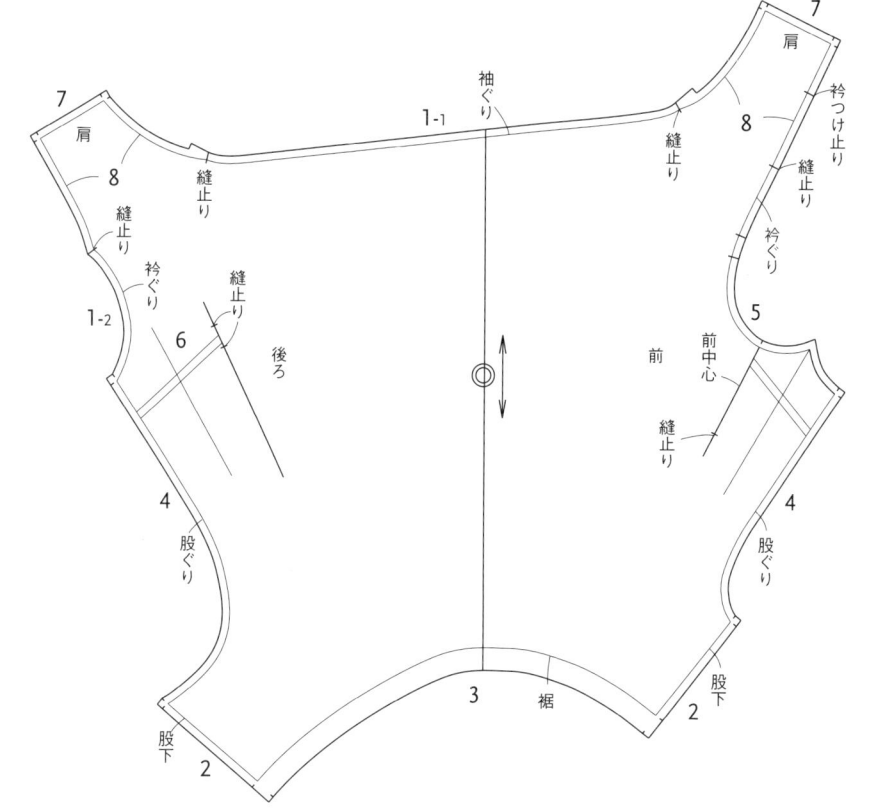

裁合せ図

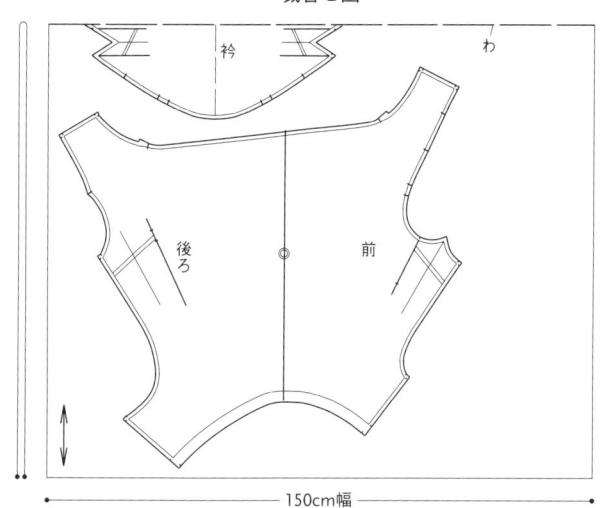

6 後ろのタックの縫い方

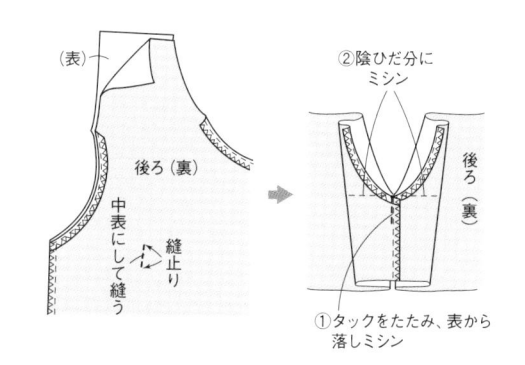

前　　　　　　　　　　　　　後ろ

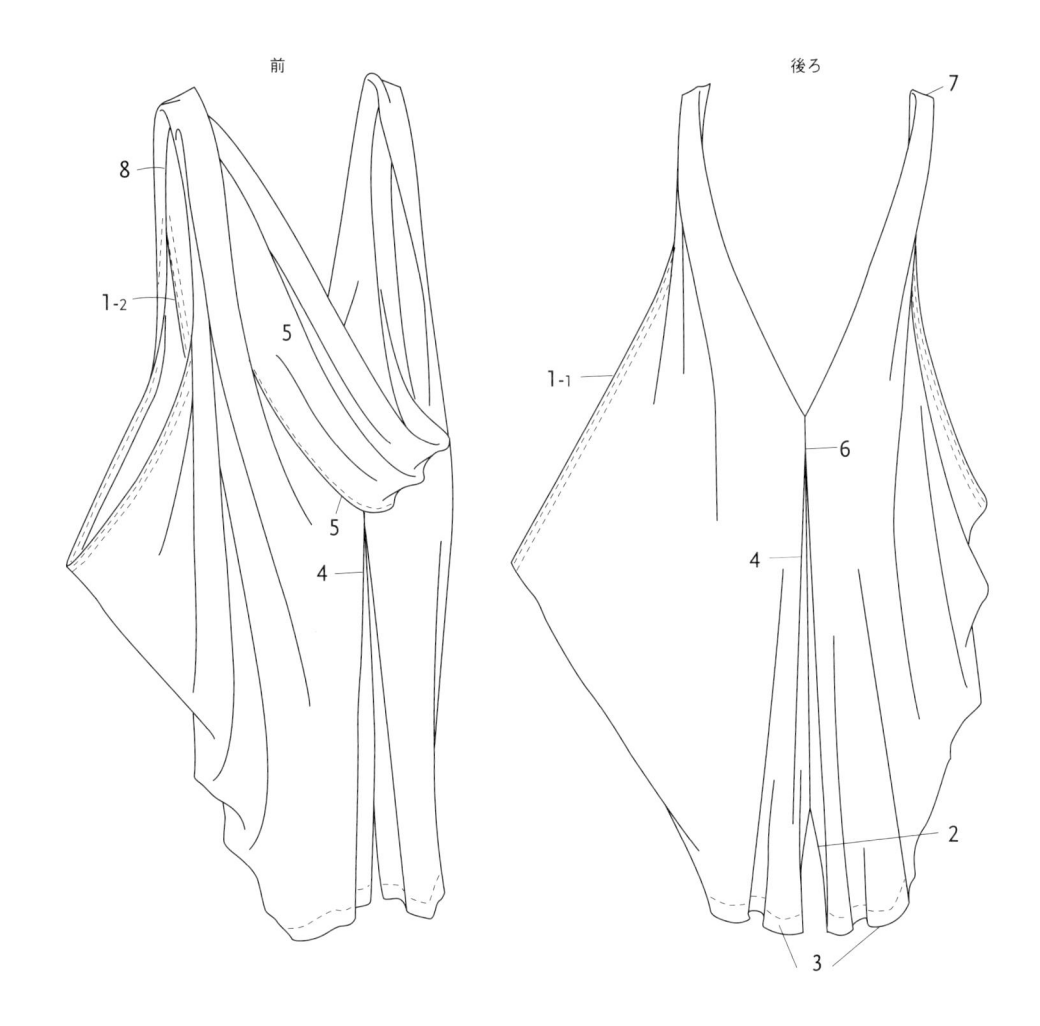

5 衿のつけ方

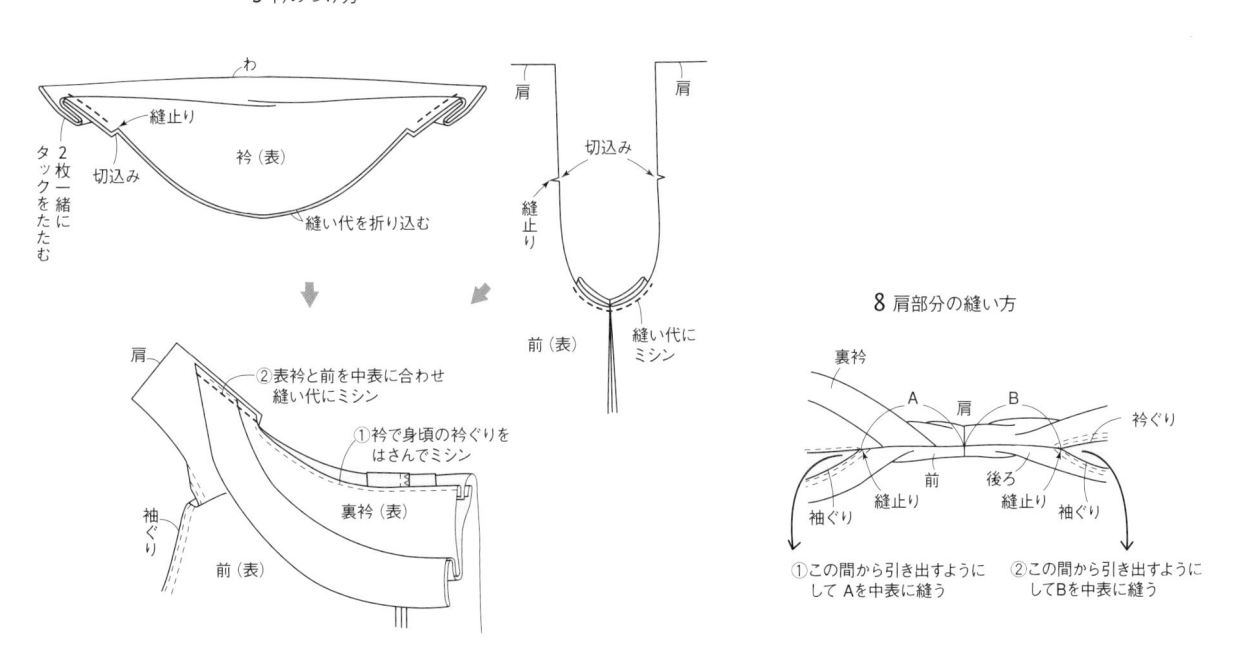

衿（表）
わ
縫止り
切込み
縫い代を折り込む
2枚一緒にタックをたたむ

肩　　肩
切込み
縫止り
前（表）
縫い代にミシン

肩
②表衿と前を中表に合わせ縫い代にミシン
①衿で身頃の衿ぐりをはさんでミシン
裏衿（表）
袖ぐり
前（表）

8 肩部分の縫い方

裏衿
A　肩　B
衿ぐり
前　後ろ
縫止り　縫止り
袖ぐり　袖ぐり

①この間から引き出すようにしてAを中表に縫う
②この間から引き出すようにしてBを中表に縫う

no.9 loose drape blouse
page 16,17

ルーズ ドレープ ブラウス

◆ 必要なパターン（C面）

前、後ろ（前側と後ろ側を突き合わせる）、衿・後ろ中心布（前側と後ろ側を突き合わせる）、カフス

◆ 縫い方順序

1. 身頃のレースつけ位置の縫い代を三つ折り端ミシンで始末。
2. 身頃にレースをつける。
3. レースの後ろ中心を重ねて、縫止りから裾を縫う。
4. 前後の脇〜袖下を袋縫いで縫い合わせる。→図
5. 裾を三つ折り端ミシンで始末。
6. カフスは9cm幅のレースを2枚重ねてはぎ、袖下を袋縫いで縫い合わせる。
7. 袖口にギャザーを寄せ、カフスをつける。
8. カフスつけ位置の内側にゴムテープをつける。ゴムテープはつけ寸法より3cm短いものを、伸ばして縫いとめる。

◆ 使用量

表布（綿キュプラシフォン）
＝145cm幅2m60cm
レース＝9cm幅3m80cm
1cm幅のゴムテープ　適宜

裁合せ図

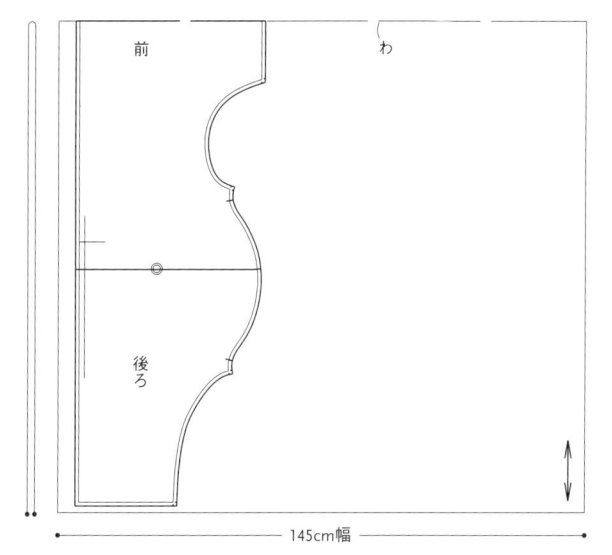

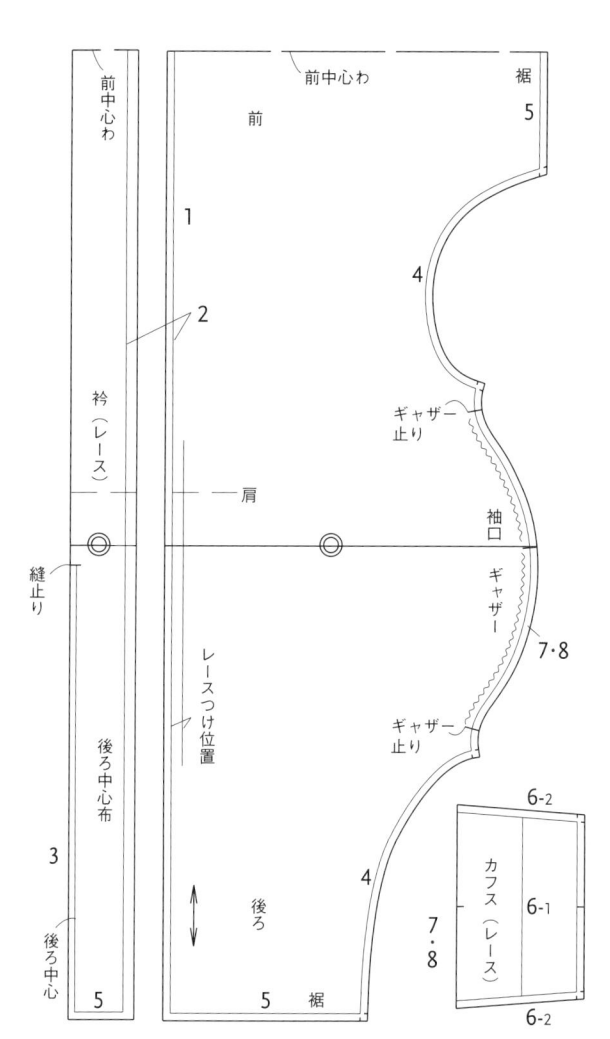

前

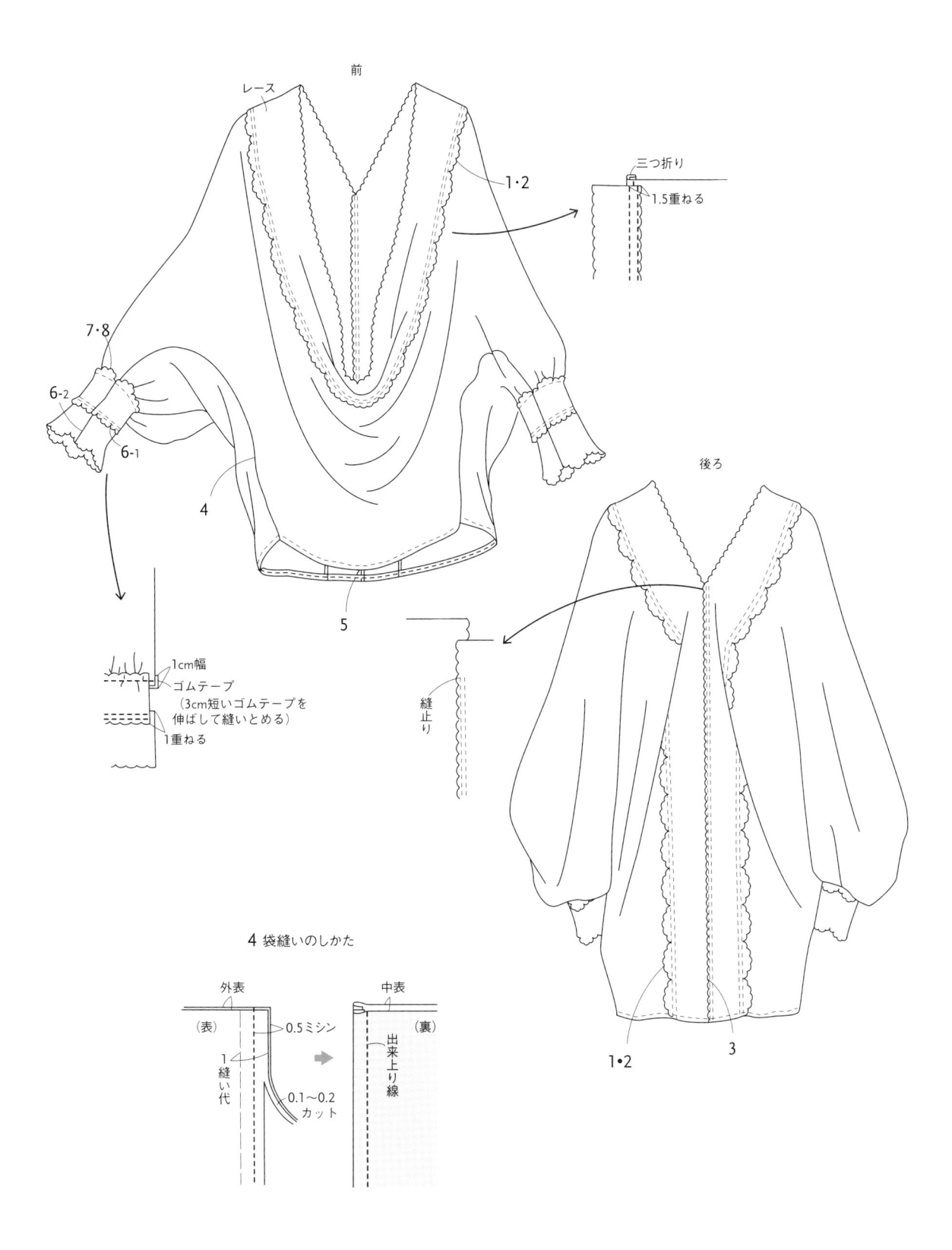

レース

1・2

三つ折り
1.5重ねる

7・8

6-2

6-1

4

5

1cm幅
ゴムテープ
(3cm短いゴムテープを
伸ばして縫いとめる)
1重ねる

後ろ

縫止り

1・2　3

4 袋縫いのしかた

外表
(表)
0.5ミシン
1縫い代
0.1〜0.2カット

中表
(裏)
出来上り線

no.10 tuck drape dress

page 18,19

タック ドレープ ドレス

◆ 必要なパターン（C面）

前、後ろ（前側と後ろ側を突き合わせる）、後ろヨーク、前ヨーク

◆ 縫い方順序

※ 裏ヨークに接着芯を張る。
1. 表ヨーク、裏ヨークの肩をそれぞれ縫い合わせる。
2. 表、裏ヨークの衿ぐりと袖ぐりを縫い返す。
3. 表、裏ヨークの後ろ中心を続けて縫い合わせる。
4. 後ろ中心を縫い合わせる。
5. 後ろ中心のタックを縫止りまで縫い、タックをたたむ。
6. 前のタックをたたみ、見返しを折って仮どめミシンをかける。→図
7. 身頃にヨークをつける。
8. 裾を折り上げてステッチ。

◆ 使用量

表布（マットジャージー）
＝110cm幅
（S）2m10cm、（M）2m20cm
（ML）2m30cm、（L）2m40cm
別布（シルクサテン・ヨーク分）
＝90cm幅50cm
接着芯＝90cm幅30cm

表布の裁合せ図

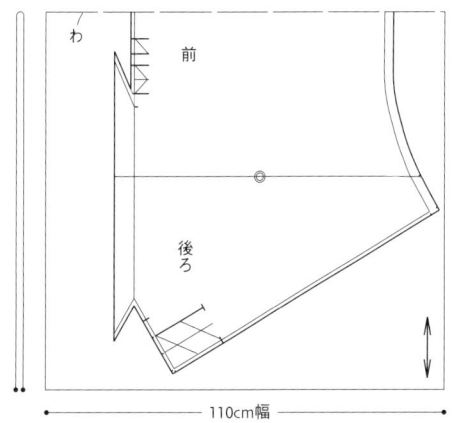

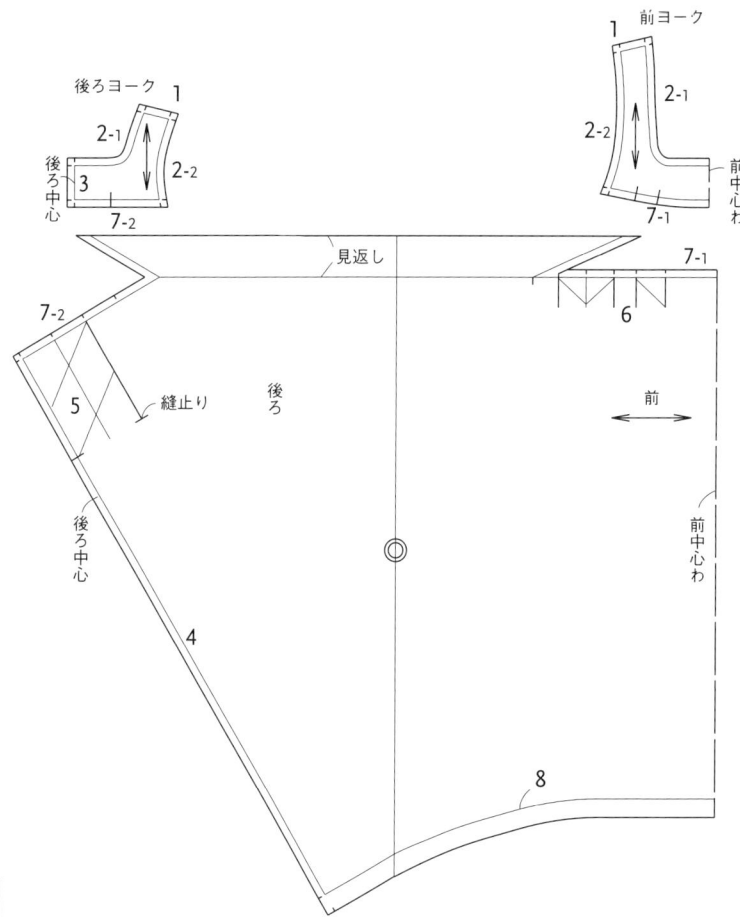

別布の裁合せ図

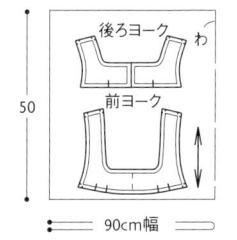

前　後ろ

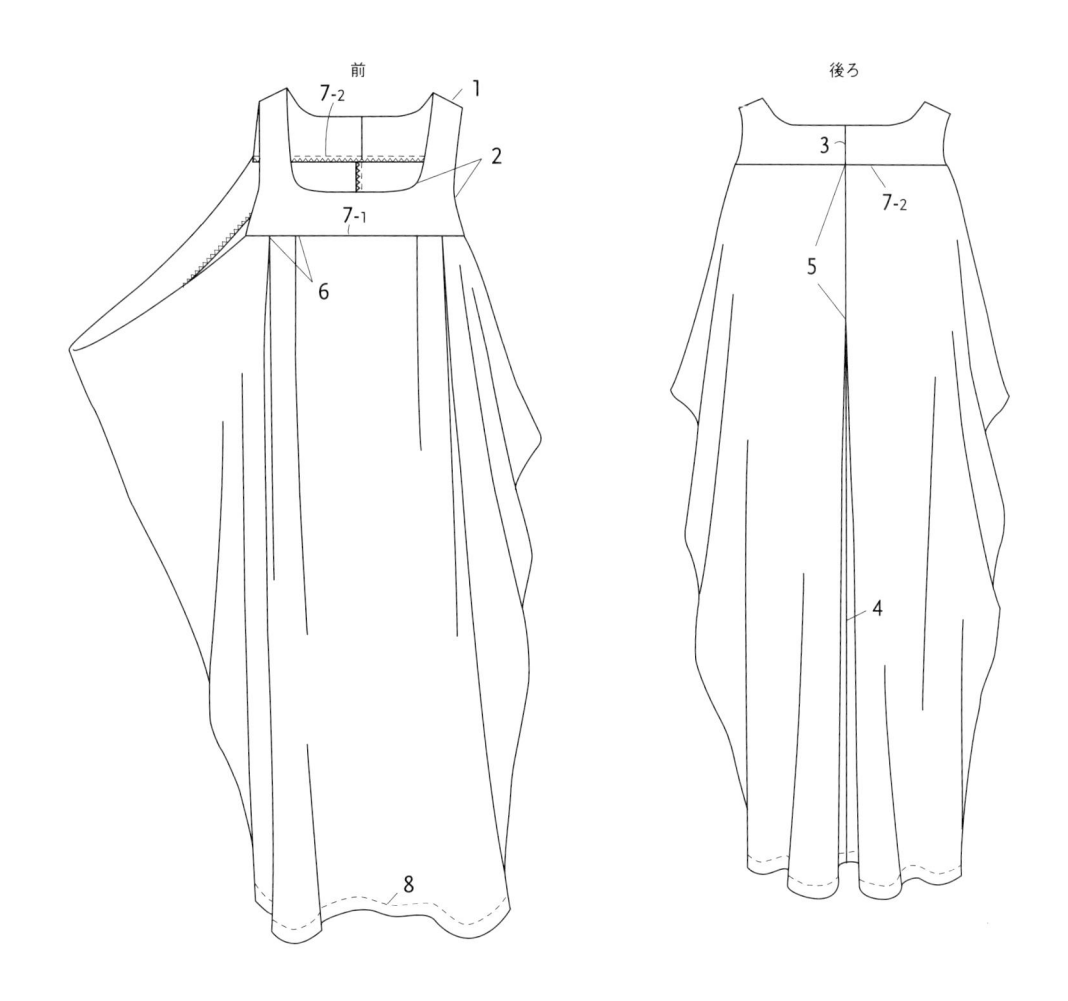

6 前のタックのたたみ方

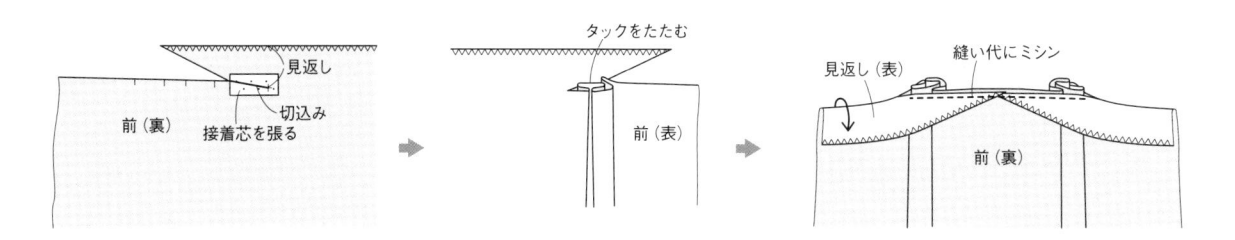

見返し
切込み
接着芯を張る
前(裏)

タックをたたむ
前(表)

見返し(表)
縫い代にミシン
前(裏)

no.11 loose flare drape dress

page 21

ルーズ フレア ドレープ ドレス

◆ 必要なパターン（C面）

前（右側と左側を突き合わせる）、後ろ、前おおい布（右側と左側を突き合わせる）、左前袖ぐり布、前見返し、後ろ見返し、裏後ろ、裏前

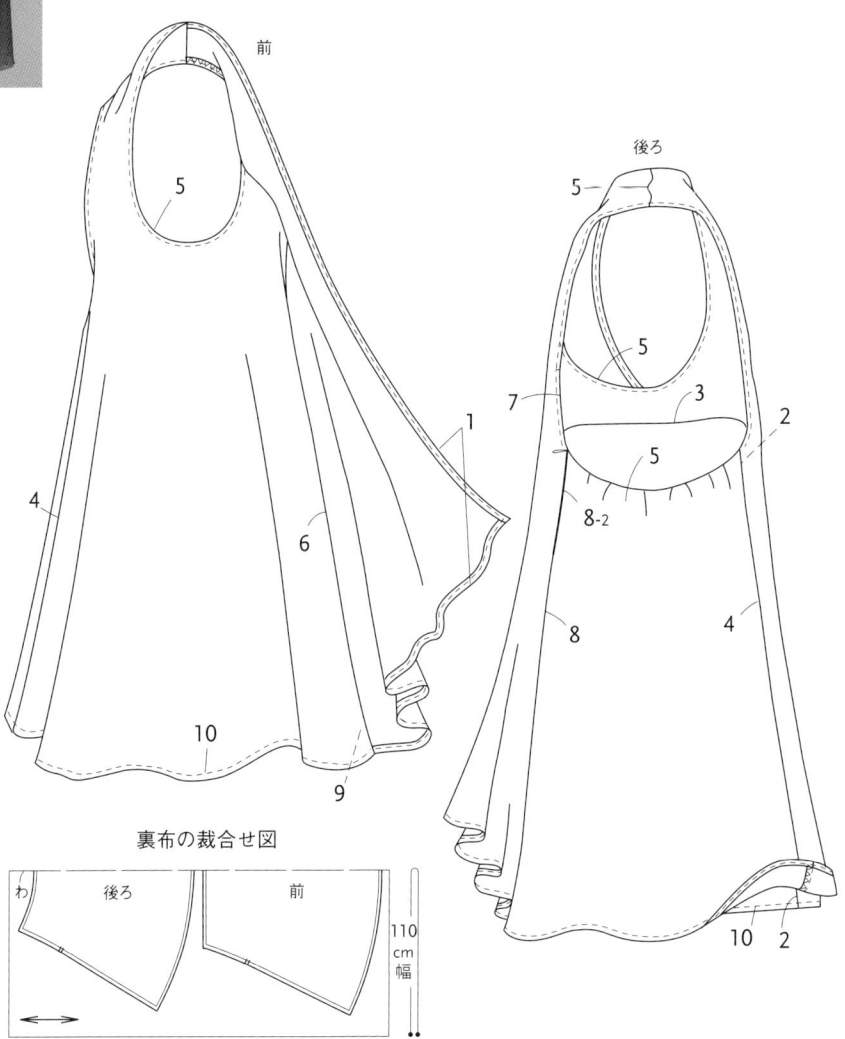

◆ 縫い方順序
1. 前おおい布の前端、裾、袖ぐりを三つ折り端ミシンで始末。→p.68図
2. 見返し、裏布の右脇をそれぞれ縫い合わせる。
3. 見返しと裏布を縫い合わせる。裏後ろはもう1枚の後ろ見返しではさんで縫う。→図
4. 表布の右脇を縫い合わせる。
5. 4の表身頃と3の裏身頃を中表に合わせ、後ろ中心にはおおい布をはさんで、後ろ上端～右袖ぐり～後ろ中心～衿ぐりを縫う。表に返して整え、後ろ見返しの間にゴムテープを通す。→図
6. 表前身頃の左脇におおい布の左脇を仮どめする。→図
7. 左前袖ぐりを、袖ぐり布で縫い返す。→図
8. 表布の左脇を縫い、コンシールファスナーをつける。ファスナーのつけ方→p.57
9. 裏布の左脇を縫い、左袖ぐり布を縫いとめて、あきの部分は縫い代を折ってまつる。→図
10. 表布、裏布の裾をそれぞれ三つ折り端ミシンで始末する。

◆ 使用量

表布（ジョーゼット）
＝112cm幅
（S）2m20cm
（M）2m30cm
（ML）2m40cm
（L）2m50cm
裏布＝110cm幅
（S、M）1m30cm
（M、ML）1m50cm
5cm幅のゴムテープ　適宜
56cmのコンシールファスナー1本

裏布の裁合せ図

表布の裁合せ図

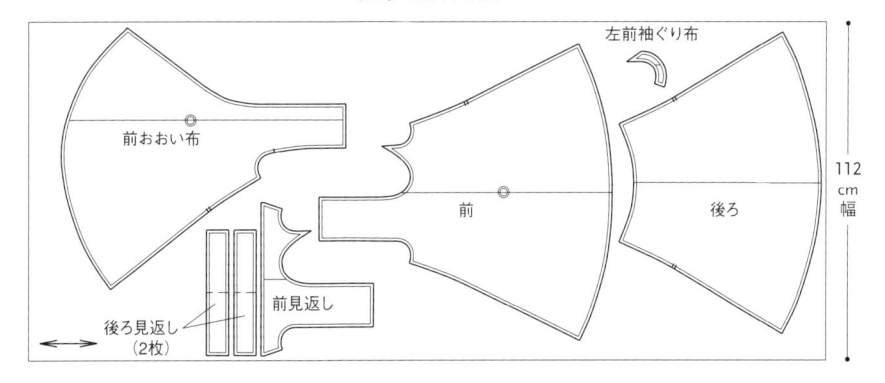

69

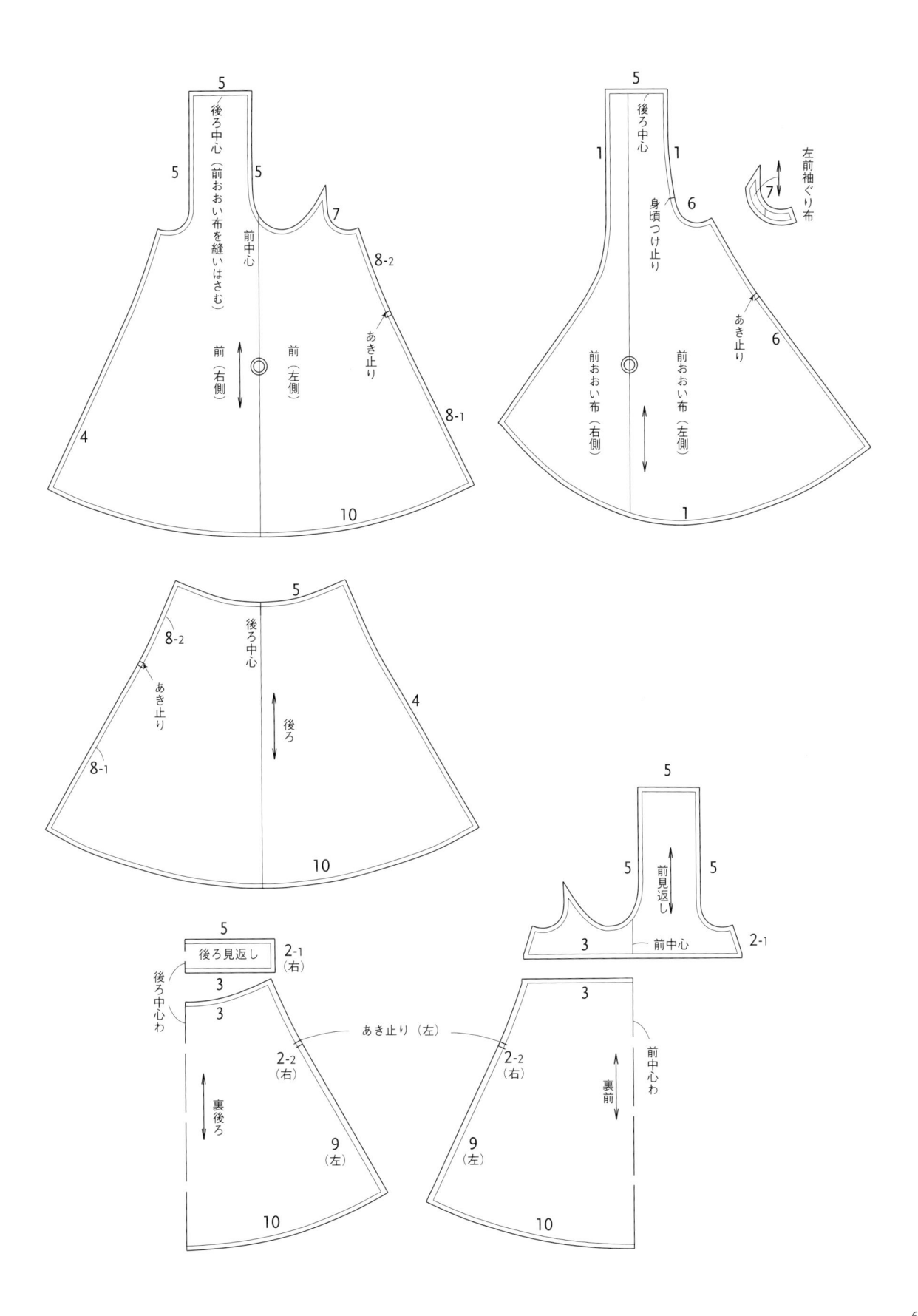

no.11 loose flare drape dress

page 21

ルーズ フレア ドレープ ドレス

1 おおい布の回りの始末

2〜3
身頃つけ止り
0.5三つ折り
脇
前おおい布（裏）

5 表、裏身頃の縫合せ方

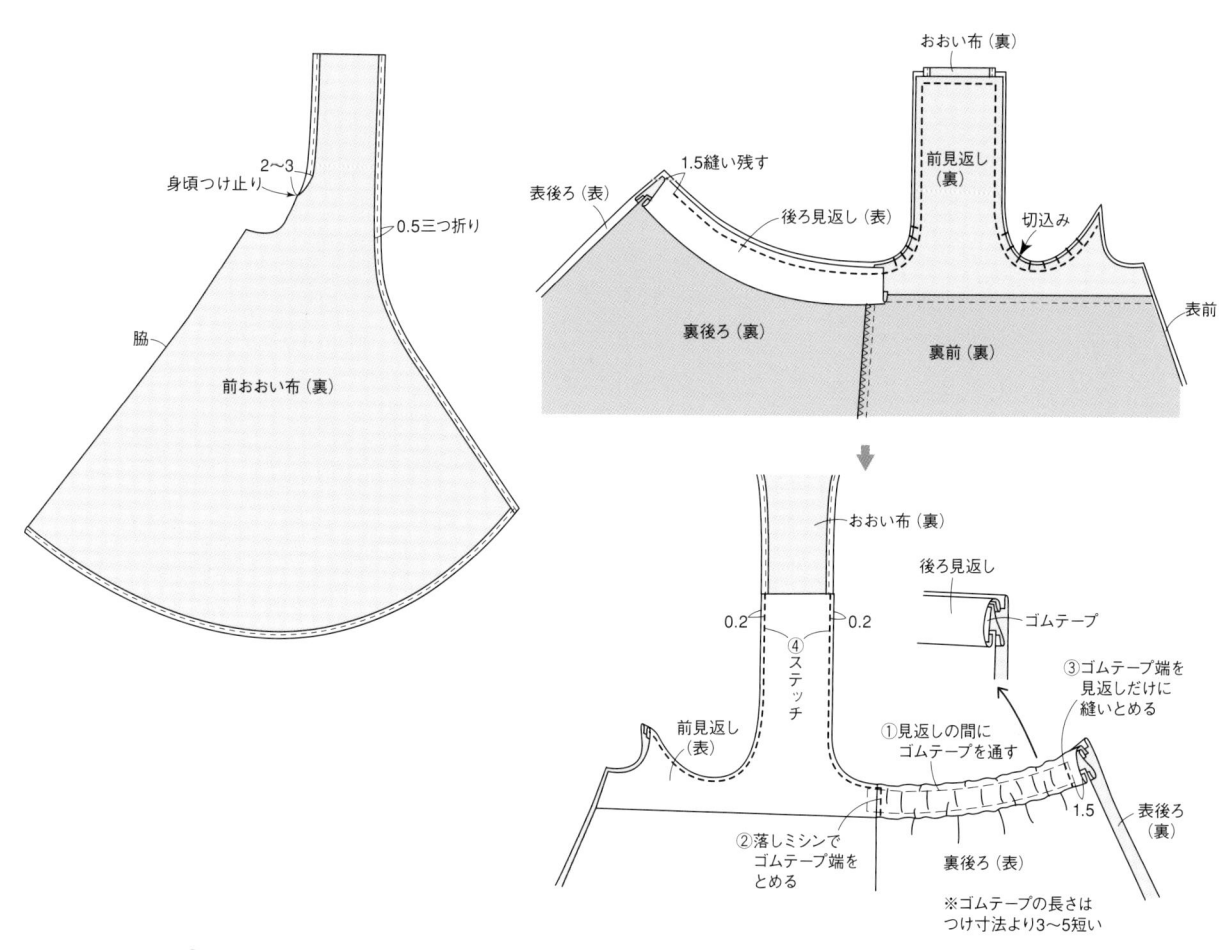

おおい布（裏）
1.5縫い残す
前見返し（裏）
表後ろ（表）
後ろ見返し（表）
切込み
裏後ろ（裏）
裏前（裏）
表前

おおい布（裏）
0.2　0.2
④ステッチ
後ろ見返し
ゴムテープ
③ゴムテープ端を見返しだけに縫いとめる
前見返し（表）
①見返しの間にゴムテープを通す
②落しミシンでゴムテープ端をとめる
裏後ろ（表）
1.5
表後ろ（裏）
※ゴムテープの長さはつけ寸法より3〜5短い

3 見返しと裏布の縫合せ方

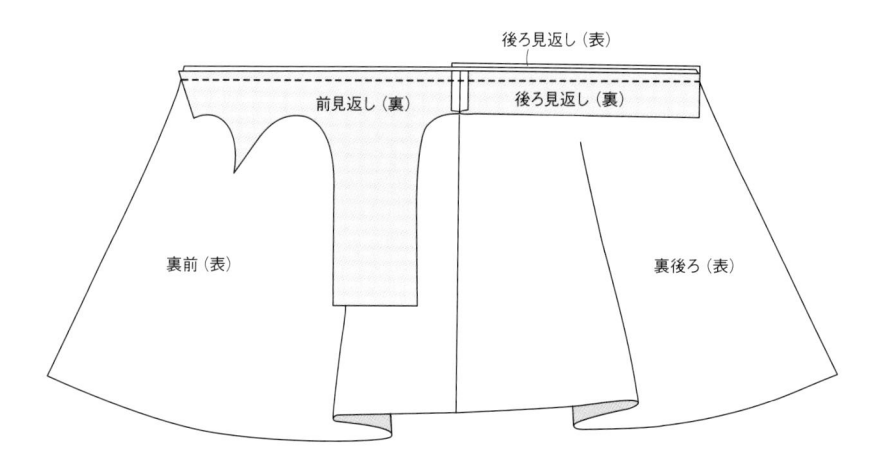

後ろ見返し（表）
前見返し（裏）　後ろ見返し（裏）
裏前（表）　裏後ろ（表）

6 おおい布脇の仮どめ

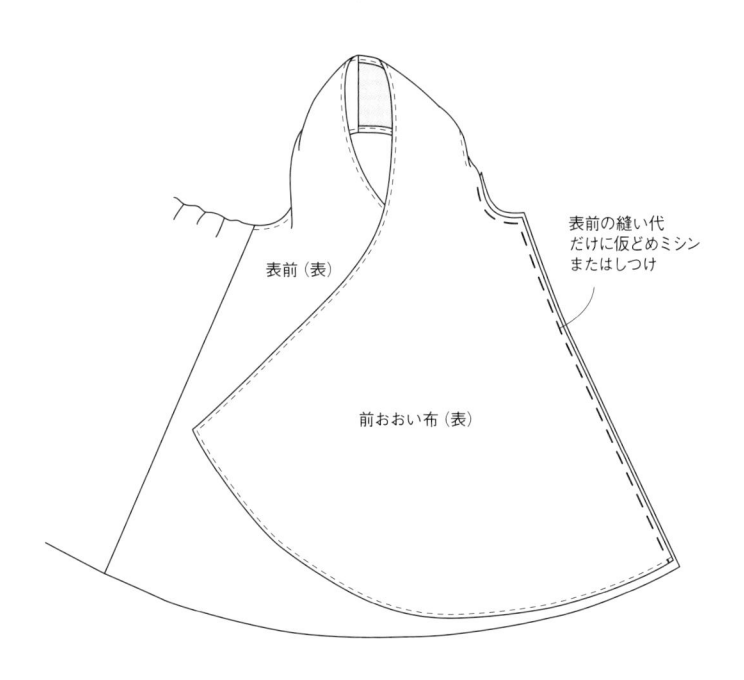

表前（表）

前おおい布（表）

表前の縫い代だけに仮どめミシンまたはしつけ

7 左袖ぐりの始末

前（表）

おおい布（表）

袖ぐり布（裏）

切込み

縫い代を折っておく

縫い代を折る

裏前（表）

袖ぐり布（表）

9 左脇の始末

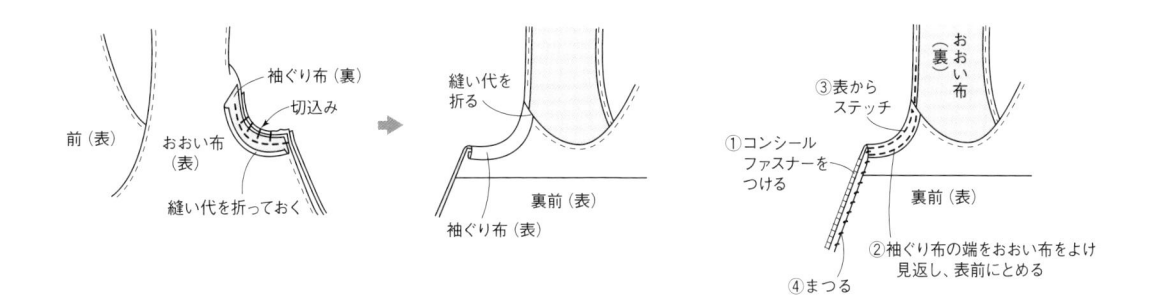

おおい布（裏）

③表からステッチ

①コンシールファスナーをつける

裏前（表）

②袖ぐり布の端をおおい布をよけ見返し、表前にとめる

④まつる

no.12 loose drape tank-top

page 22,24

ルーズ ドレープ タンクトップ

◆ 必要なパターン（A面）

前、後ろ（前側と後ろ側を突き合わせる）

◆ 縫い方順序

1 後ろ中心を縫い合わせる。
2 衿ぐりを縁とりする。→図
3 袖ぐりを縁とりする。
4 肩を縫い合わせる。→図
5 裾を折り上げてステッチ。

◆ 使用量

表布（レーヨンスムース）
＝160cm幅
（S、M）1m
（ML、L）1m20cm

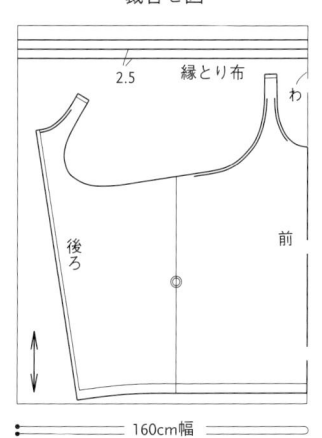

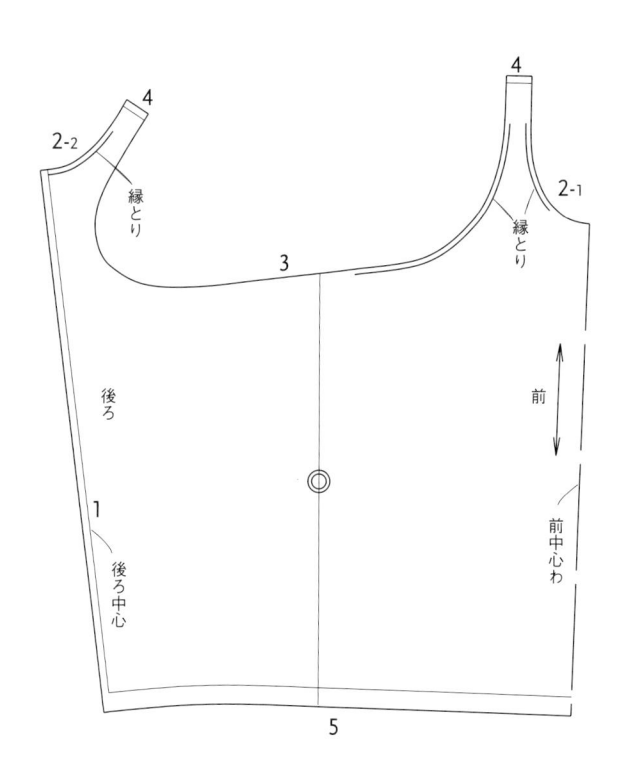

裁合せ図

前　　　　　　　　　　　　　後ろ

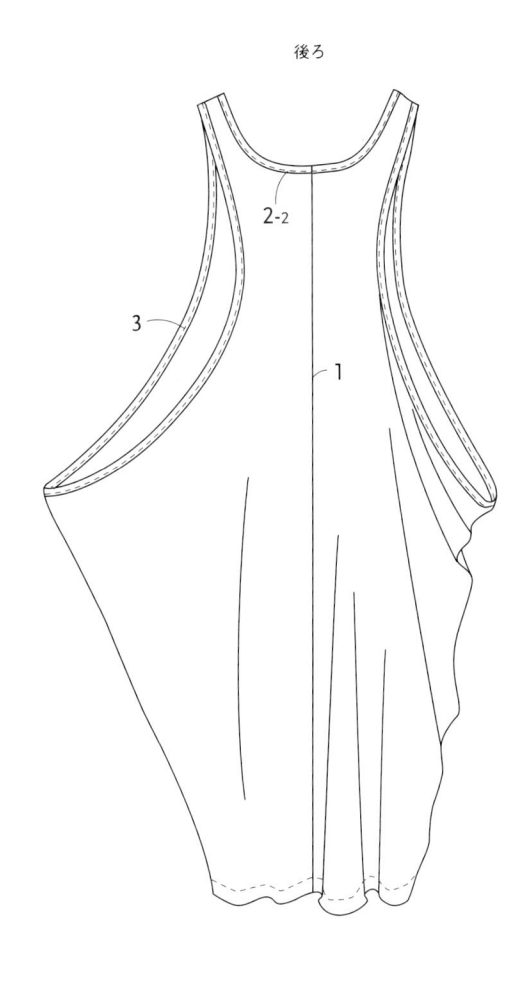

2 縁とりのしかた

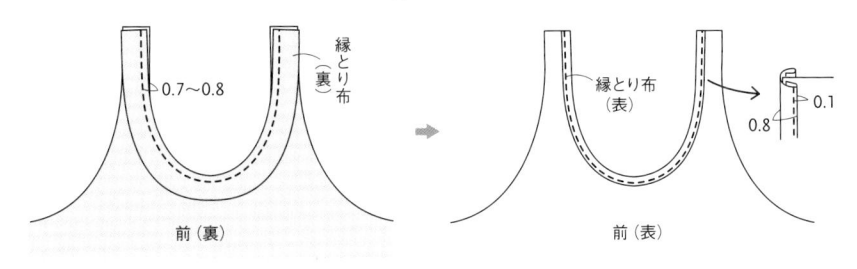

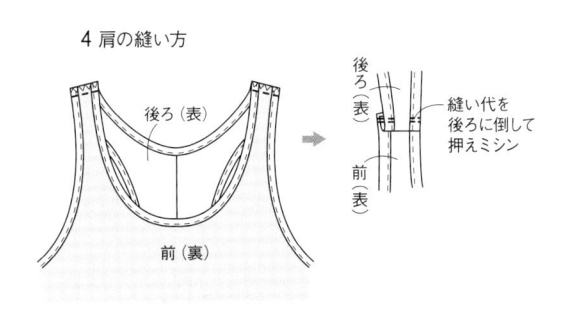

0.7～0.8
縁とり布（裏）
前（裏）

縁とり布（表）
0.8
0.1
前（表）

4 肩の縫い方

後ろ（表）
前（裏）

後ろ（表）
縫い代を後ろに倒して押えミシン
前（表）

73

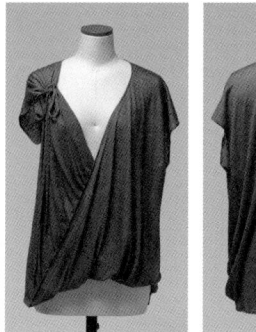

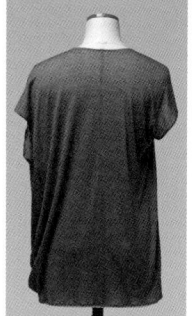

no.13 loose drape top

page 23

ルーズ ドレープ トップ

◆ 必要なパターン（D面）
右後ろ、左後ろ、左前、右前（左後ろ側、左前側、右前側を突き合わせる）

◆ 縫い方順序
1. 後ろ中心を縫い合わせる。
2. 後ろの裾を三つ折り端ミシンで始末。
3. 衿ぐりを三つ折り端ミシンで始末。右前身頃は裾から折り返すと布の裏面が表になるので、右前衿ぐり（3-2）は布の表面に縫い代を三つ折りにする。
4. 袖ぐりを三つ折り端ミシンで始末。右前身頃の袖ぐり（4-2）は布の表面に縫い代を三つ折りにする。
5. 右前身頃を裾で折り返し、後ろ身頃は肩で折って、左右の前後の脇をそれぞれ縫い合わせる。右脇は後ろの表面と前の裏面を合わせて縫うことになる。
6. 右前身頃の肩を縫い合わせる。このとき縫い代を上側に片返し、ステッチをかけてひも通し位置を作る。
7. ひもを作り、6のひも通し位置に通す。

◆ 使用量
表布（シルクウール天竺）
＝140cm幅
2m10cm

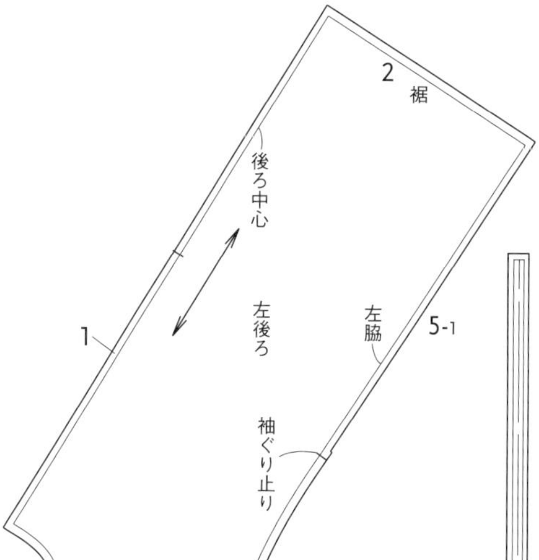

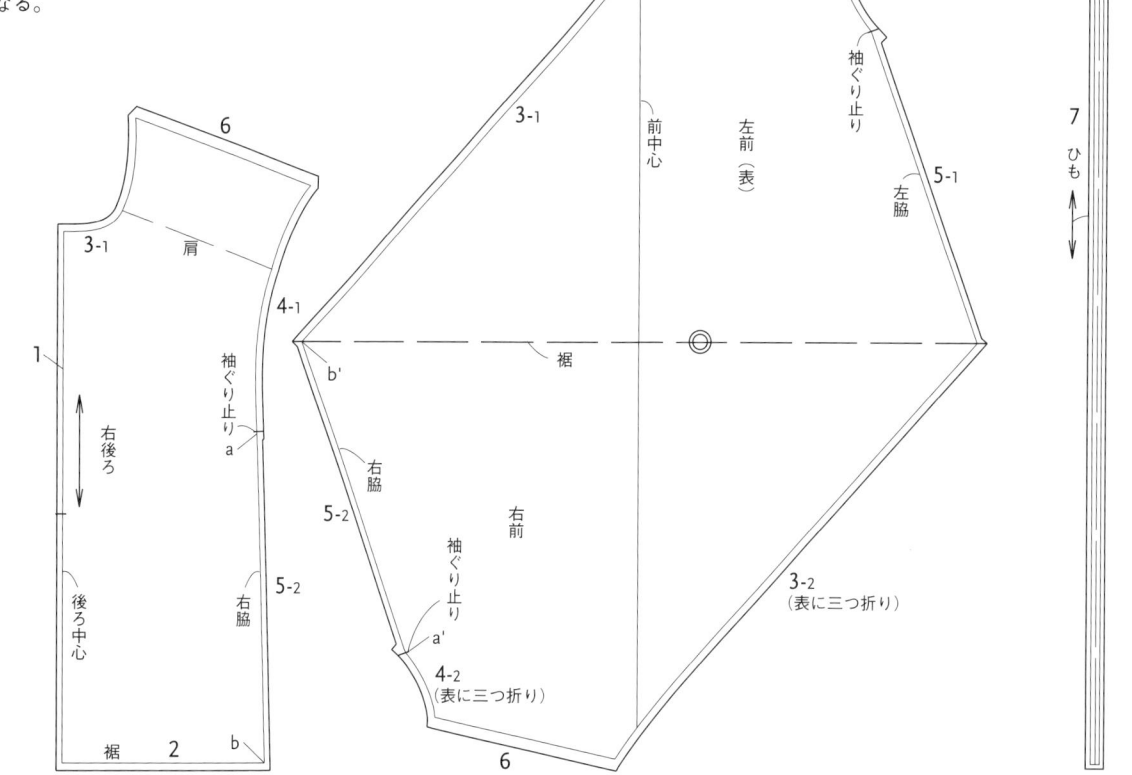

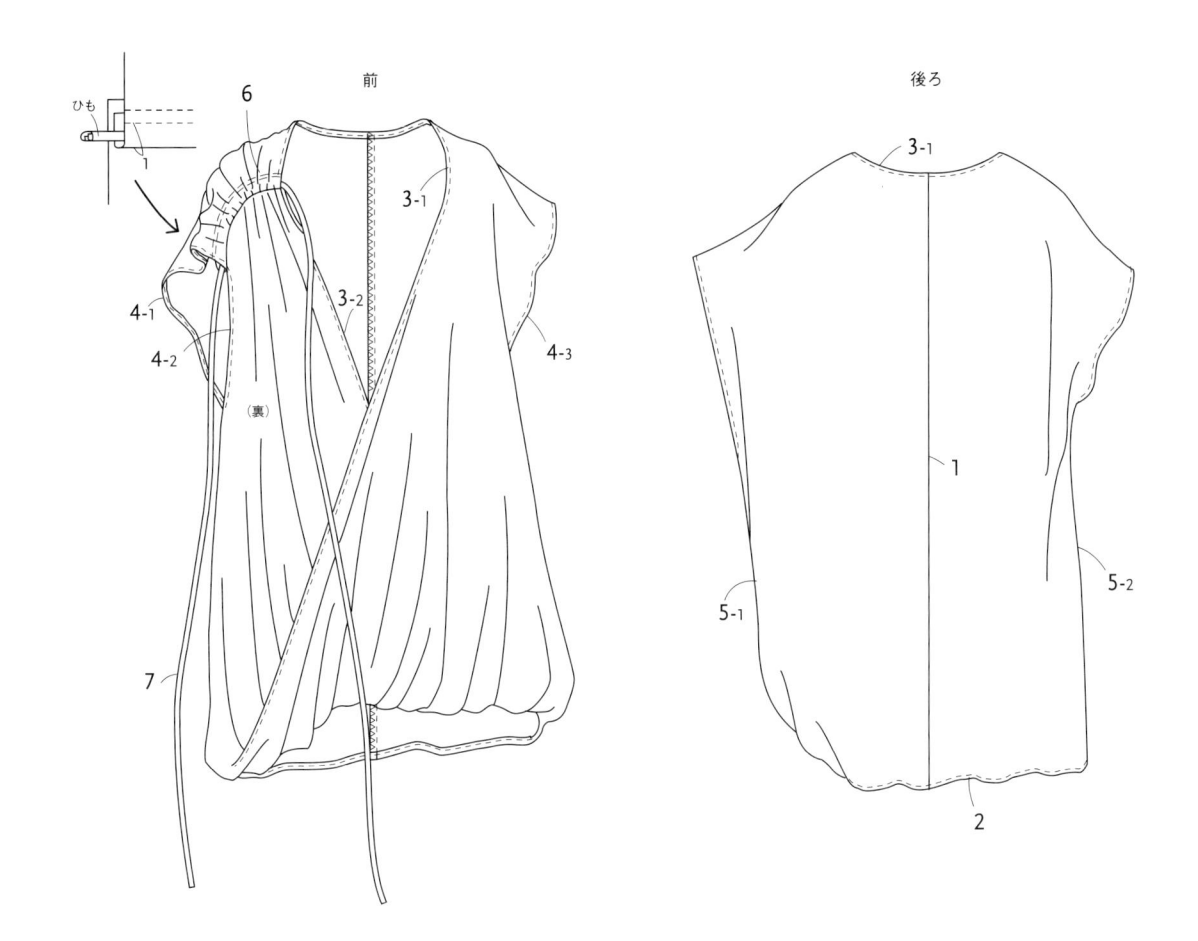

前　　　　　　　　　　　　　　　　後ろ

ひも

裁合せ図

左後ろ
右前（裏）　左前（表）
右後ろ

140cm幅

ひも —160
2.5

5 脇の縫合せ方

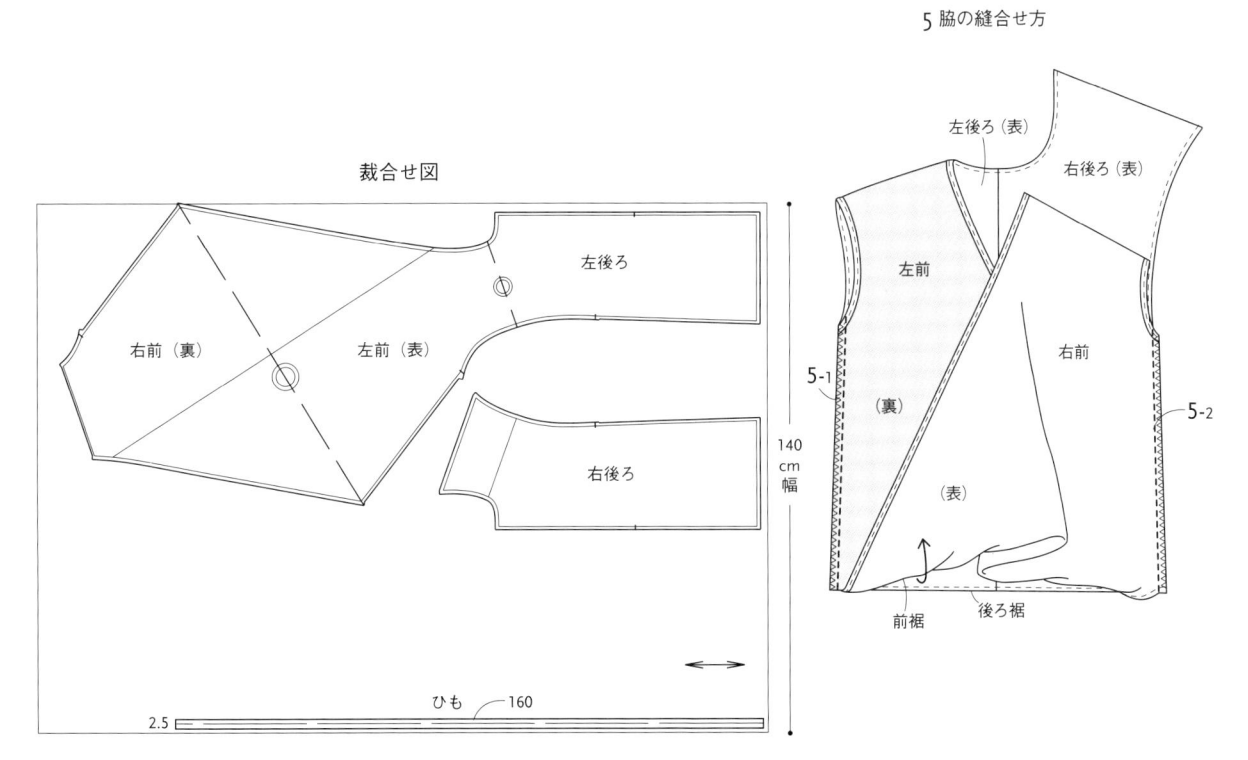

左後ろ（表）　右後ろ（表）
左前（裏）　右前
（表）
前裾　後ろ裾

no.14 tuck drape tunic blouse

page 26

タック ドレープ チュニック ブラウス

◆ 必要なパターン（D面）

前、後ろ（前側と後ろ側を突き合わせる）、衿ぐり縁とり布・肩ひも

◆ 縫い方順序

1. 左右の袖ぐりをそれぞれ三つ折り端ミシンで始末。
2. 前中心、後ろ中心をそれぞれ袋縫い（→p.65）で縫い合わせる。
3. 前後とも中心のタックを縫止りまで縫い、衿ぐりのタックをたたんで仮どめ。→図
4. 衿ぐりを縁とりし、続けて肩ひもも作る。
5. 裾を三つ折り端ミシンで始末。

◆ 使用量

表布（ローンレース）
＝110cm幅
（S、M）2m50cm
（ML、L）2m70cm

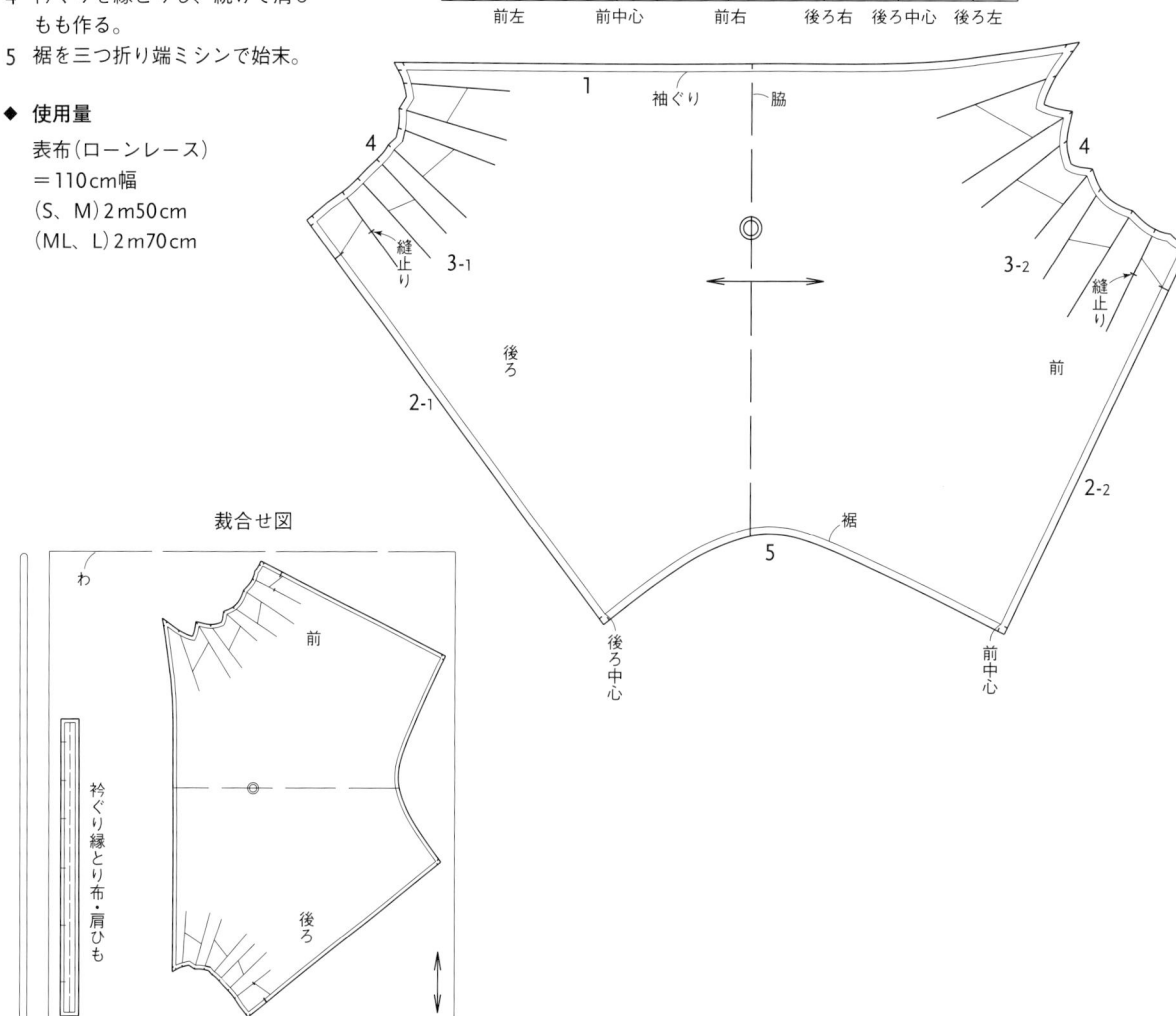

前

1

3-2

2-2

4

5

後ろ

4

3-1

2-1

5

3 タックのたたみ方

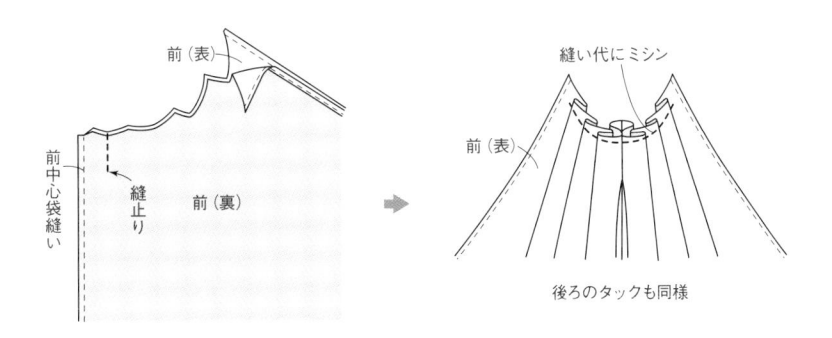

前(表)

前中心袋縫い

縫止り

縫い代にミシン

前(裏)

前(表)

後ろのタックも同様

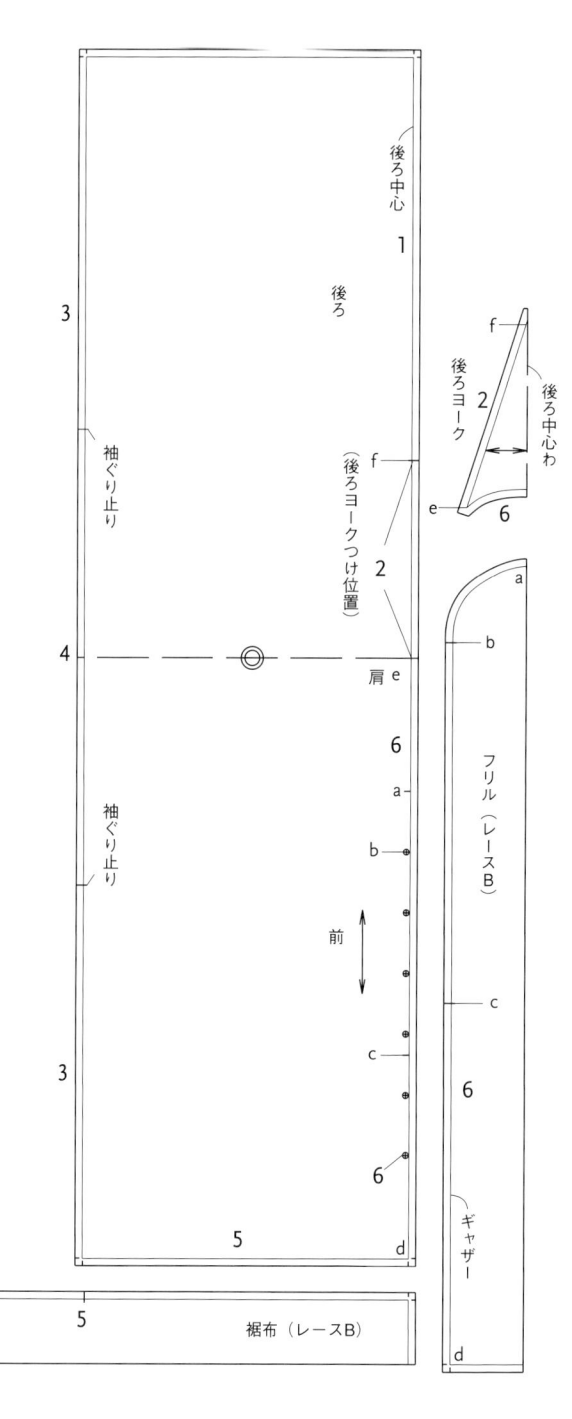

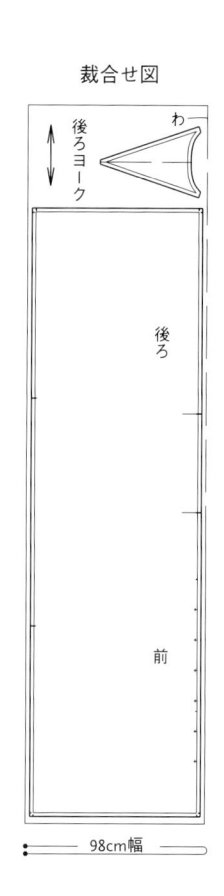

no.15 loose drape tunic blouse

page 27

ルーズ ドレープ チュニック ブラウス

◆ 必要なパターン（D面）

前後（前側と後ろ側を突き合わせる）、後ろヨーク、フリル、裾布

◆ 縫い方順序

1. 後ろヨークつけ止りから裾まで、後ろ中心を縫い合わせる。
2. 後ろ中心に後ろヨークをつける。
3. 袖ぐり止りから裾まで脇を縫い合わせる。
4. 袖ぐりにレースAをつける。
5. 裾布（レースB）をつける。
6. 衿ぐりにレースA、前端にフリル（レースB）をつける。→図
7. 前端内側にスナップをつける。→図

◆ 使用量

表布（綿レース）
＝98cm幅1m90cm
綿レースA（衿ぐり、袖ぐり）
＝2cm幅2m60cm
綿レースB（フリル、裾布）
＝20cm幅3m80cm
バイアステープ（両折り）
＝1.2cm幅2m

裁合せ図

レースA

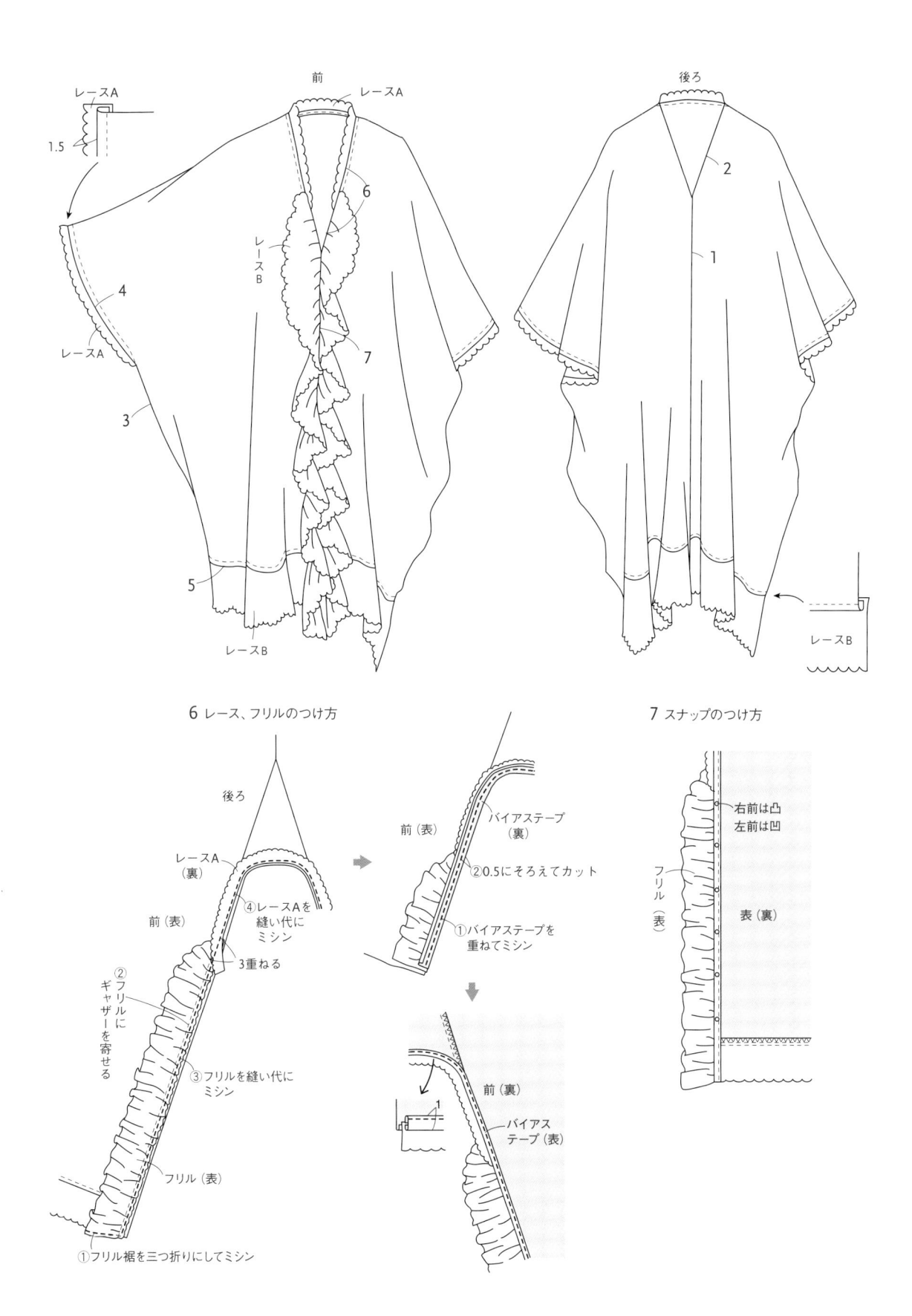

1.5

前　レースA

レースB

後ろ

レースA

3
4
5
6
7

レースB

2
1

レースB

6 レース、フリルのつけ方

後ろ

前（表）

レースA（裏）

④レースAを縫い代にミシン

③重ねる

②フリルにギャザーを寄せる

③フリルを縫い代にミシン

フリル（表）

①フリル裾を三つ折りにしてミシン

前（表）

バイアステープ（裏）

②0.5にそろえてカット

①バイアステープを重ねてミシン

前（裏）

バイアステープ（表）

1

7 スナップのつけ方

右前は凸
左前は凹

フリル

表（裏）

79

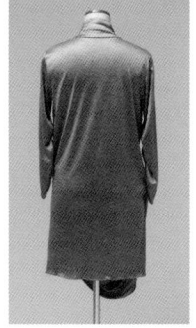

no.16 drape drape dress

page 28

ドレープ ドレープ ドレス

◆ 必要なパターン（D面）

後ろ、右前（衿側と裾側を突き合わせる）、左前、袖（袖側、袖口後ろ側、袖口前側を突き合わせる）、衿

◆ 縫い方順序

1. 後ろ身頃と左右前身頃の裾、袖口の縫い代を三つ折り端ミシンで始末。
2. 右前身頃のタックをたたんで仮どめする。→p.82図、p.35、36
3. 肩を縫い合わせる。
4. 衿をつけ、両端のタックを2枚一緒にたたんで仮どめ。→図
5. 袖のタックをたたんで仮どめ。→図
6. 袖をつける。
7. 脇と袖下を続けて縫い合わせる。このとき左脇には衿の右前端を縫い挟む。→図
8. 衿の左前端を、右脇内側のつけ位置の縫い代に縫いとめる。→図

◆ 使用量

表布（シルク天竺）
＝150cm幅
(S) 2m30cm
(M) 2m40cm
(ML) 2m50cm
(L) 2m60cm

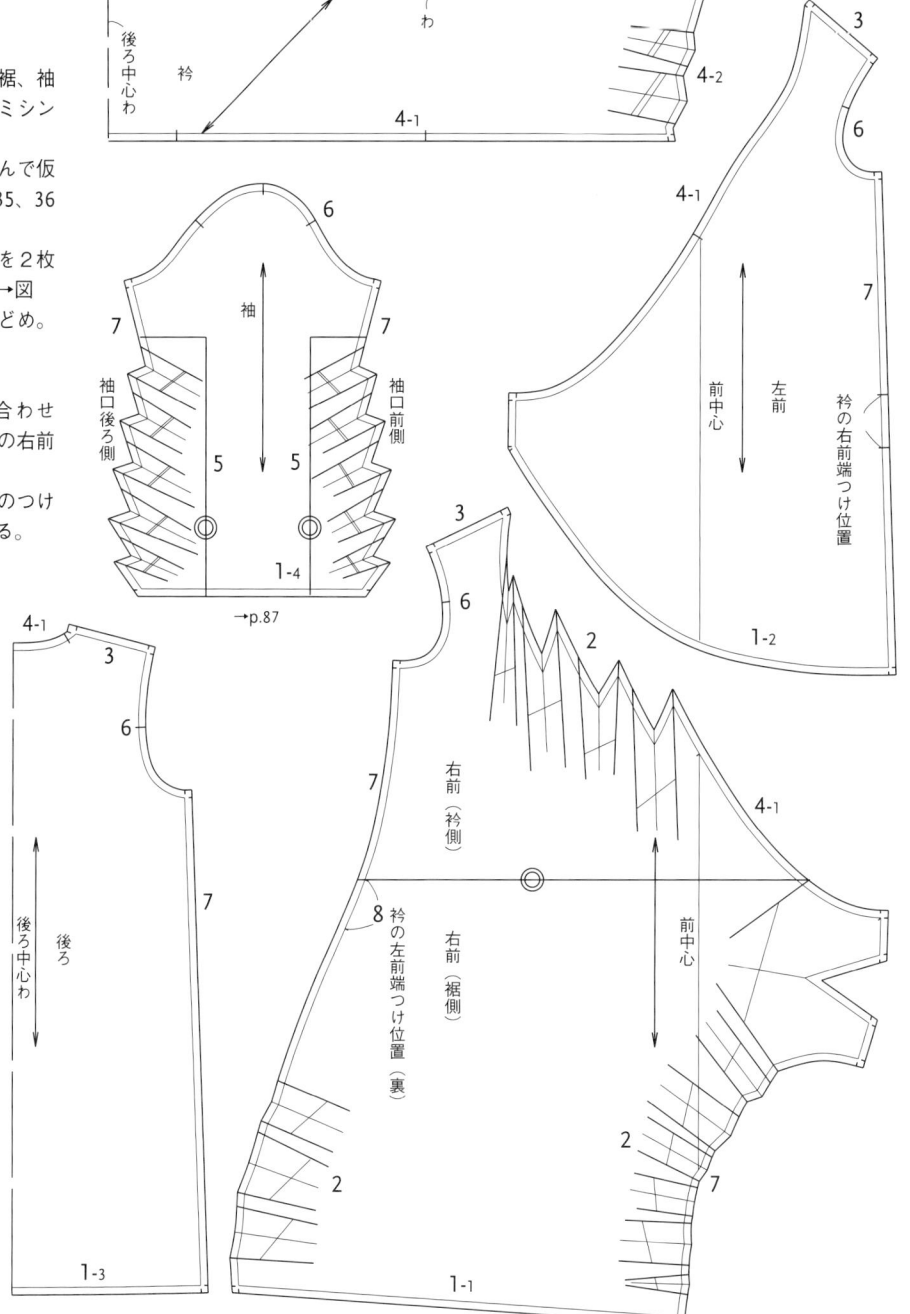

前　　　　　　　　　　　左脇

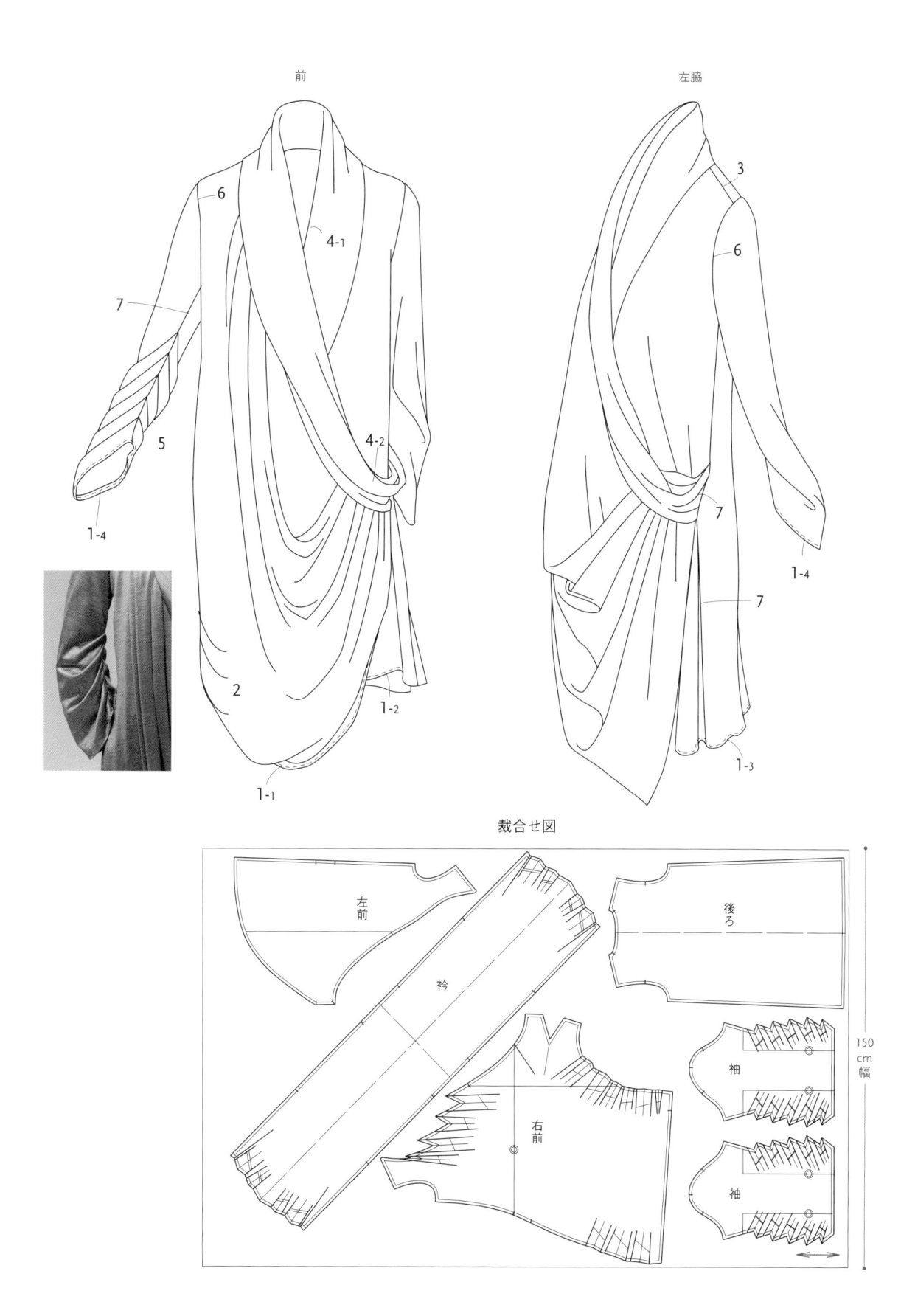

裁合せ図

左前

衿

後ろ

右前

袖

袖

150cm幅

no.16 drape drape dress

ドレープ ドレープ ドレス

2 右前のタックのたたみ方

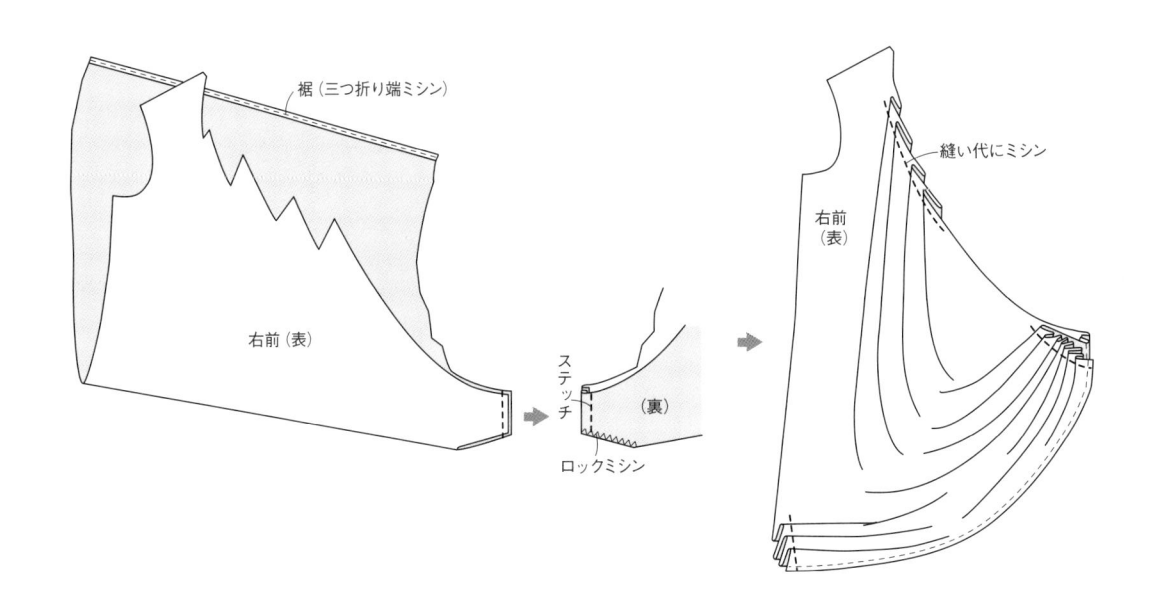

裾（三つ折り端ミシン）

右前（表）

ステッチ

（裏）

ロックミシン

縫い代にミシン

右前（表）

4 衿つけ

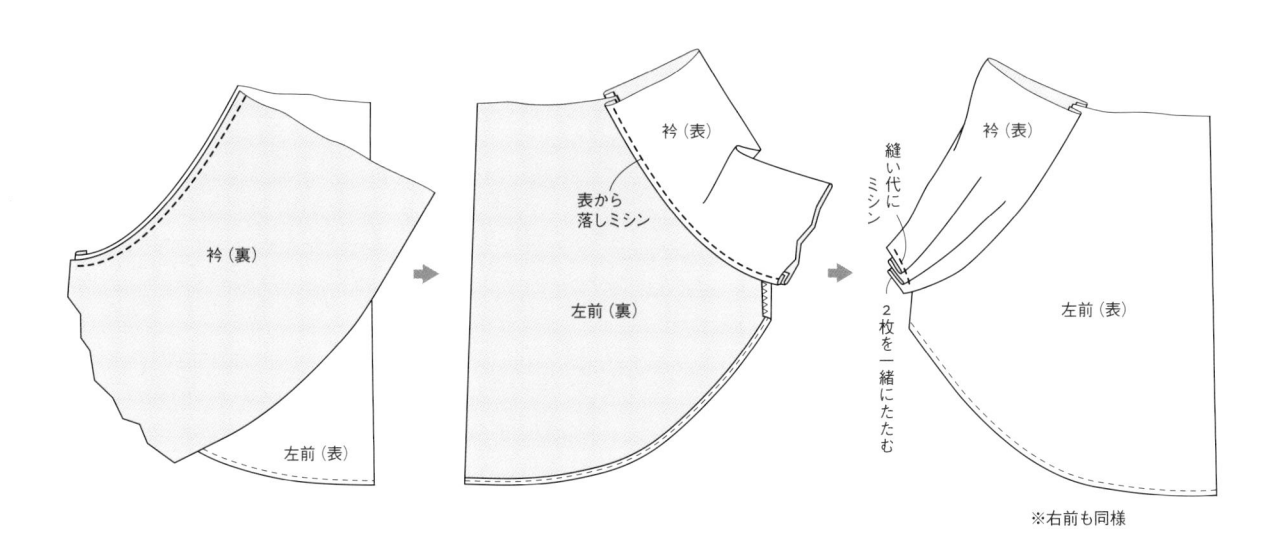

衿（裏）

左前（表）

衿（表）

表から落しミシン

左前（裏）

縫い代にミシン

衿（表）

2枚を一緒にたたむ

左前（表）

※右前も同様

5 袖のタックのたたみ方

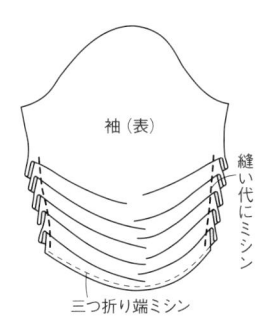

袖(表)
縫い代にミシン
三つ折り端ミシン

8 衿の左前端のとめ方

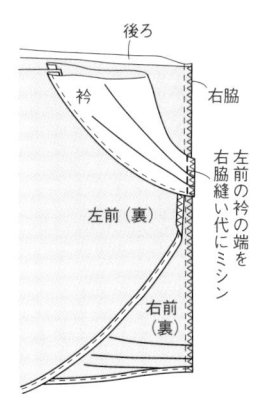

後ろ
衿
右脇
左前(裏)
右前(裏)
左前の衿の端を右脇縫い代にミシン

7 脇〜袖下の縫い方

衿
脇
右前(表)
左前(表)
右前の衿の端を左前の脇縫い代にミシン

衿
左前(裏)
後ろ(表)

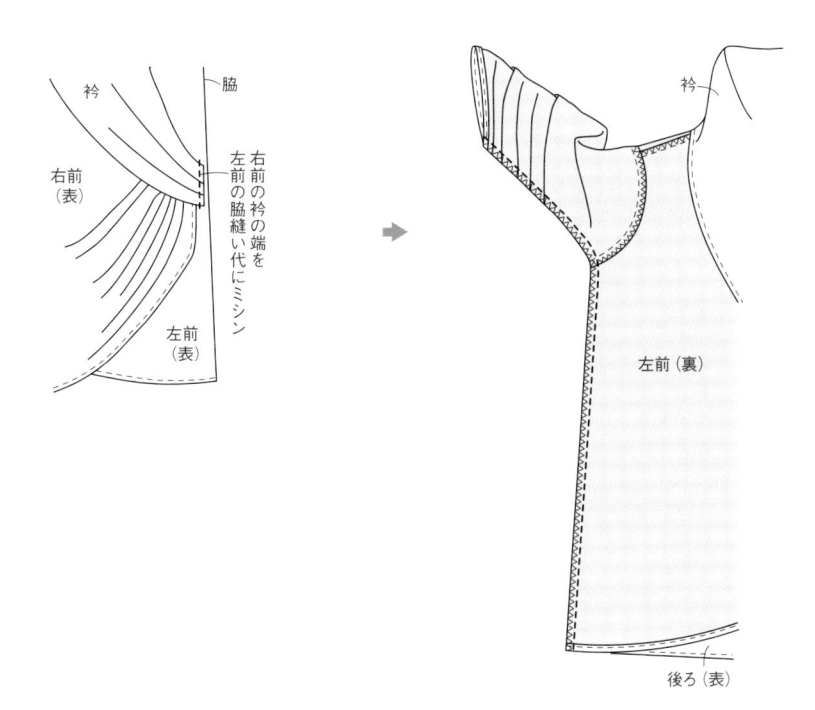

no.17 drape drape dress

page 29

ドレープ ドレープ ドレス

◆必要なパターン（D面）
前（衿ぐり側、前、裾側を突き合わせる）、後ろ（衿ぐり側、裾側を突き合わせる）
※S、Mは右側と左側も突き合わせる

◆縫い方順序
1 前後とも裾を出来上がりに折ってステッチ。
2 前後とも衿ぐりの縫い代を折ってステッチ。→p.86図
3 前身頃、後ろ身頃のタックをそれぞれたたみ、仮どめする。→図
4 肩を縫い合わせる。
5 袖ぐりを縁とり布で始末する。→図
6 脇を縫い合わせる。

◆使用量
表布（マットジャージー）
＝150cm幅
（S、M）3m
（ML、L）3m20cm

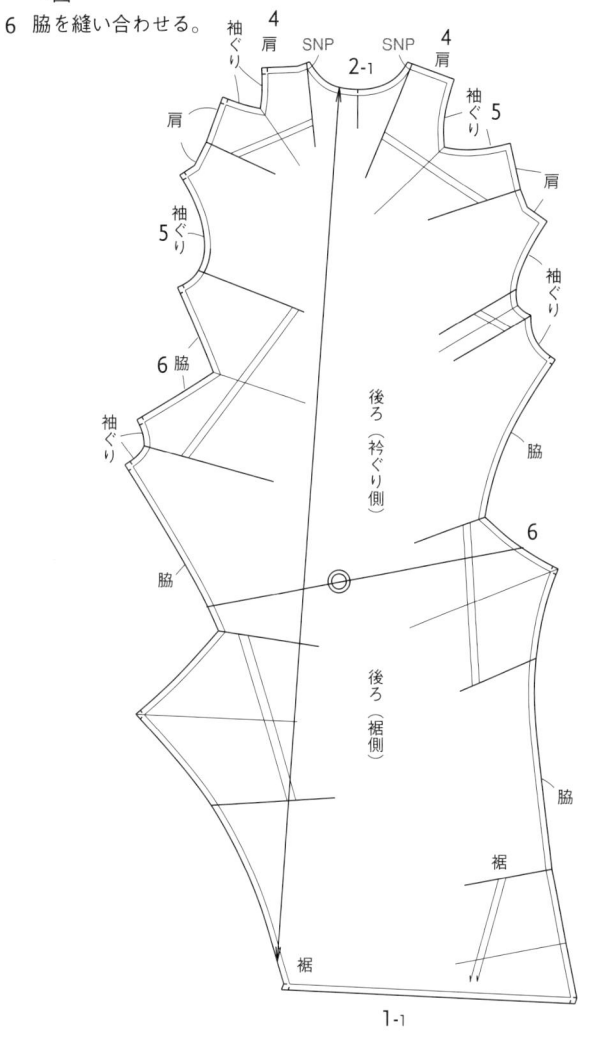

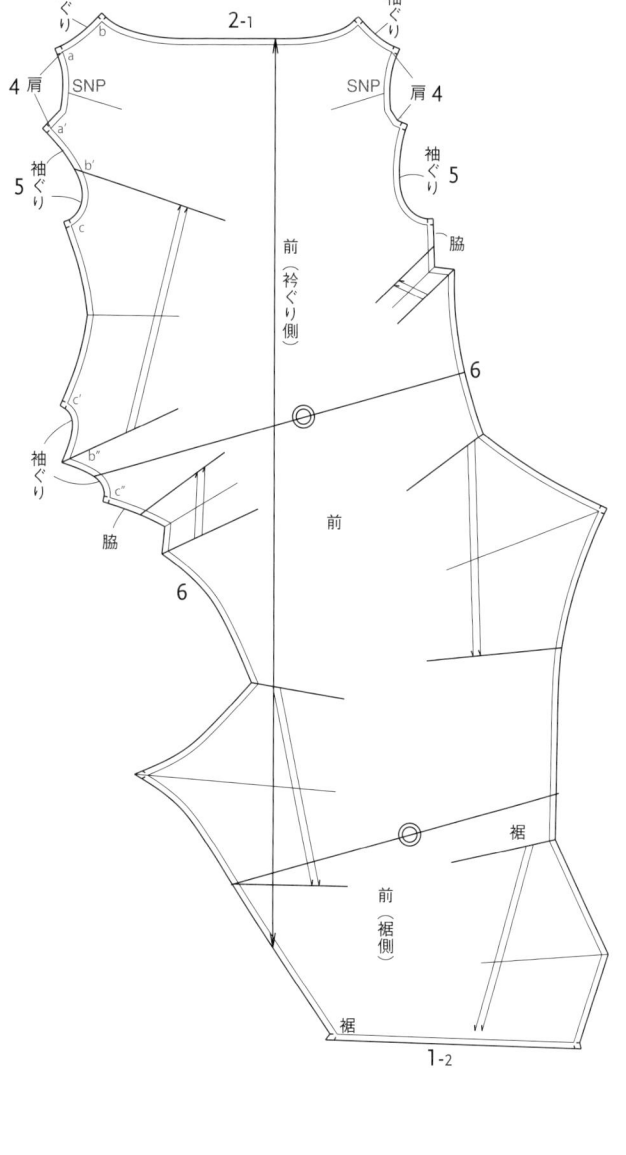

前 後ろ

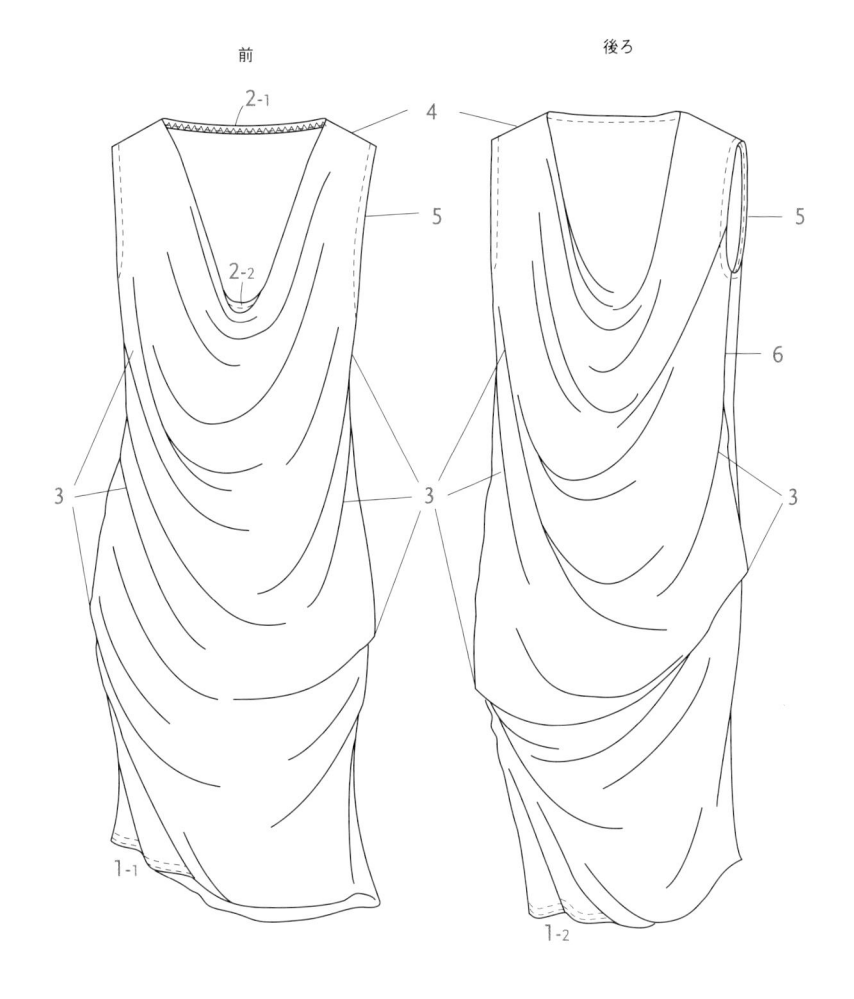

裁合せ図

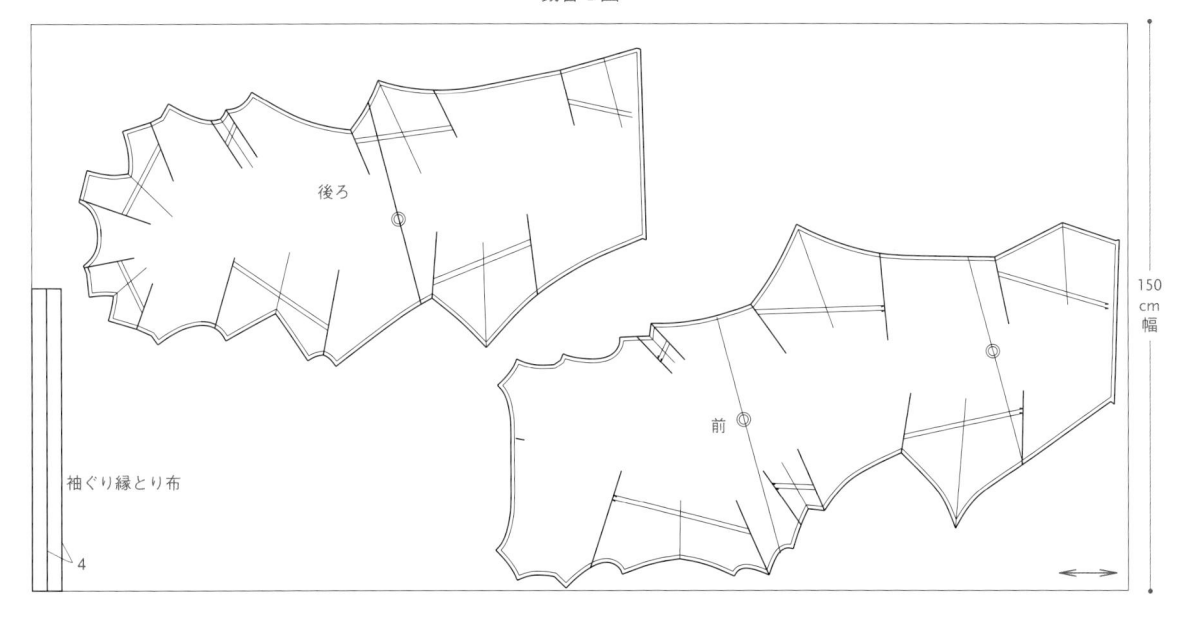

袖ぐり縁とり布

150 cm 幅

no.17 drape drape dress

page 29

ドレープ ドレープ ドレス

2 衿ぐりの始末

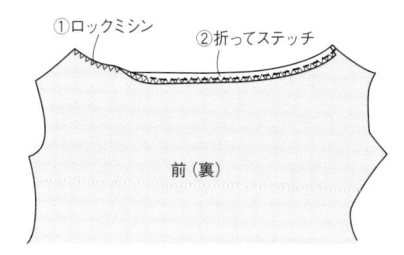

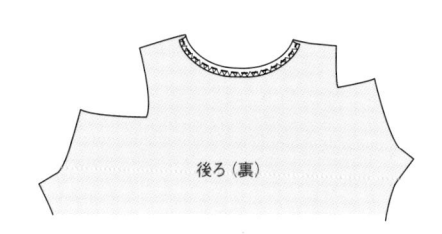

①ロックミシン　②折ってステッチ

前（裏）　後ろ（裏）

3 タックのたたみ方

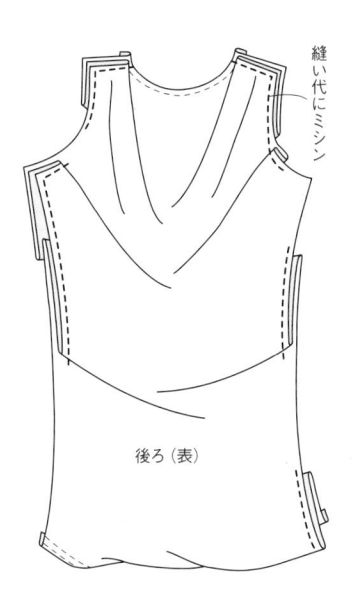

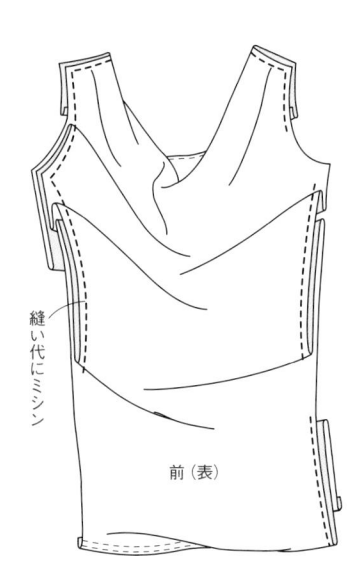

縫い代にミシン

後ろ（表）　前（表）

5 袖ぐりの始末

袖ぐり布（表）　二つ折り　後ろ（表）　わ　肩　前（表）

0.5にカット

後ろ（表）

後ろ（裏）

バイアス布を身頃の裏面に返してミシン

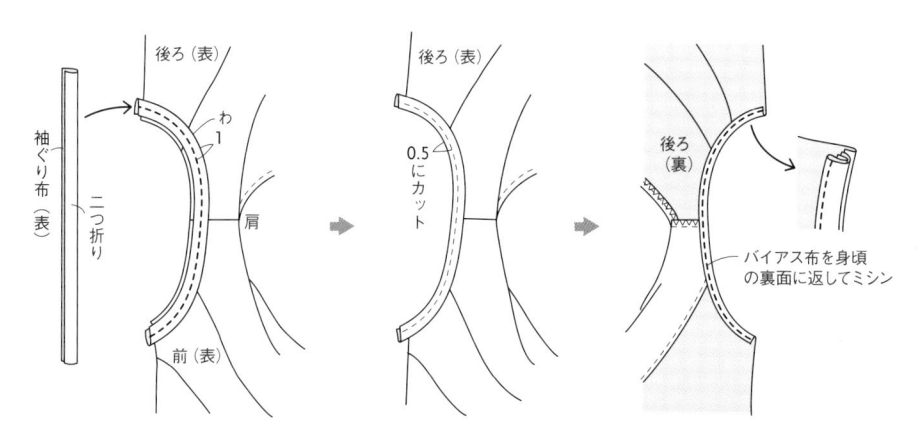

実物大パターンを使う前に

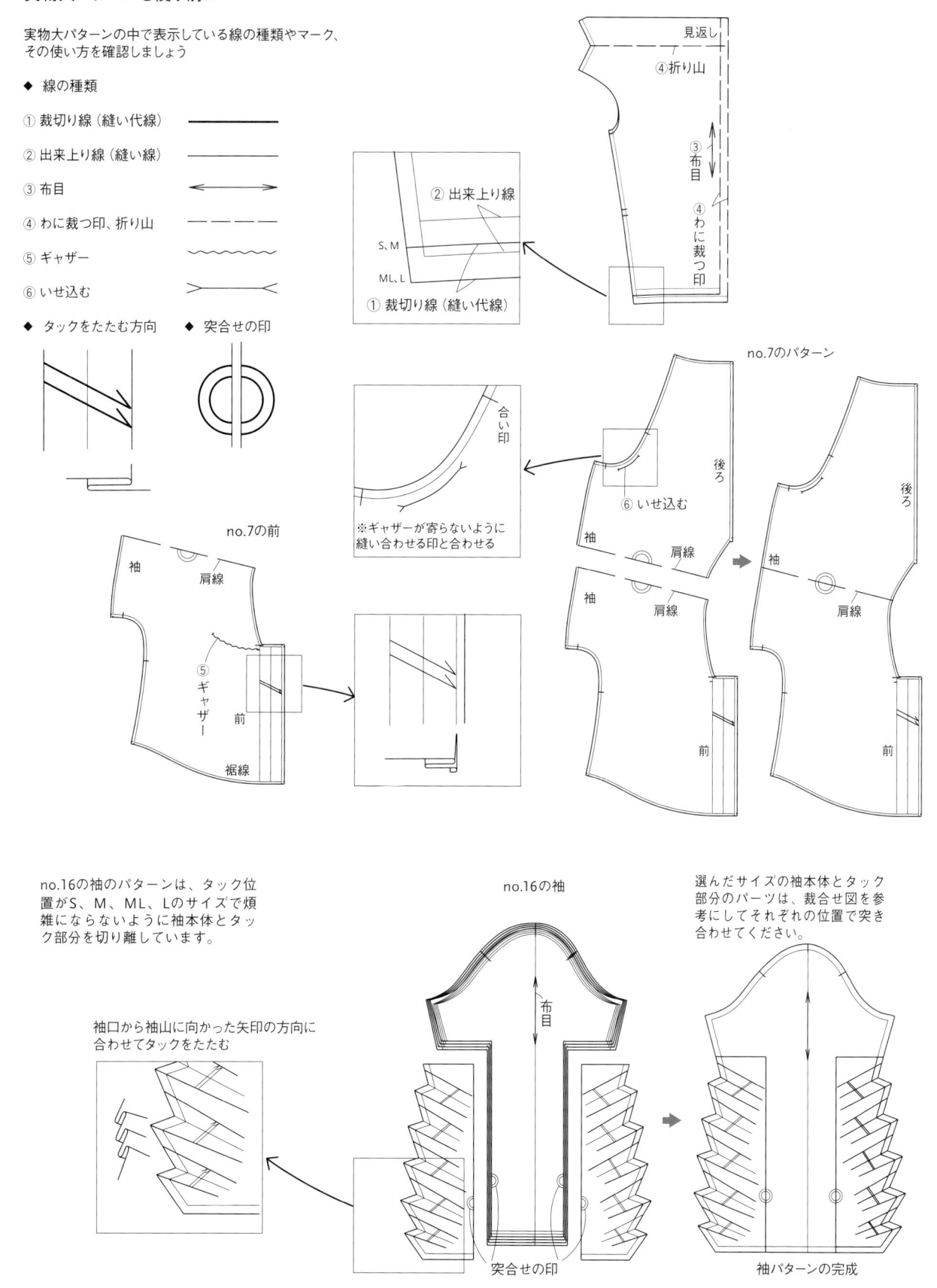

実物大パターンの中で表示している線の種類やマーク、その使い方を確認しましょう

◆ 線の種類

① 裁切り線（縫い代線）
② 出来上り線（縫い線）
③ 布目
④ わに裁つ印、折り山
⑤ ギャザー
⑥ いせ込む

◆ タックをたたむ方向　　◆ 突合せの印

no.7の前

no.7のパターン

※ギャザーが寄らないように縫い合わせる印と合わせる

no.16の袖のパターンは、タック位置がS、M、ML、Lのサイズで煩雑にならないように袖本体とタック部分を切り離しています。

no.16の袖

選んだサイズの袖本体とタック部分のパーツは、裁合せ図を参考にしてそれぞれの位置で突き合わせてください。

袖口から袖山に向かった矢印の方向に合わせてタックをたたむ

突合せの印

袖パターンの完成

佐藤ヒサコ　Hisako Sato
1986年文化服装学院デザイン専攻科卒業。
大手アパレルメーカーに勤務。
'90年「無印良品」衣料品デザイン担当、'93年に独立。
'94年に「beige shop」ブランドで東京コレクションデビュー、15年間にわたり活動。
2008年よりドレスを中心とした新ブランドを展開、
現在もデザイナーとして活躍。

ブックデザイン	縄田智子　L'espace
撮影	戎 康友、藤本 毅(p.33〜84、B.P.B.)
ヘア＆メーク	茅根裕巳
モデル	jessica.B、ocean moon
パターングレーディング	上野和博
作り方解説	水野佳子(p.33〜40)、百目鬼尚子(p.41〜86)
トレース	福島知子
校閲	向井雅子

〔参考文献〕
『きれいに縫うための基礎の基礎』水野佳子著(文化出版局)
『はじめての服作りレッスンノート』百目鬼尚子著(文化出版局)
『ファッション辞典』(文化出版局)

〔協力〕
ミシン(p.37)
「学校法人文化学園 文化事業局 購買部 外商課」東京都渋谷区代々木3-22-1　tel.03-3299-2048
洋裁材料(p.35、37)
「つよせ」東京都中野区中野5-66-5　tel.03-3387-6235
布地(no.1、no.2参考商品、no.13参考商品)
「オカダヤ新宿本店」東京都新宿区新宿3-23-17　tel.03-3352-5411

drape drape
ドレープ ドレープ

2009年7月19日　第1刷発行
2013年2月1日　第7刷発行
著　者　佐藤ヒサコ
発行者　大沼 淳
発行所　学校法人文化学園 文化出版局
　　　　〒151-8524　東京都渋谷区代々木3-22-7
　　　　tel.03-3299-2401(編集)
　　　　tel.03-3299-2540(営業)
印刷・製本所　株式会社文化カラー印刷

©Hisako Sato 2009　Printed in Japan
本書の写真、カット及び内容の無断転載を禁じます。

・本書のコピー、スキャン、デジタル化等の無断複製は著作権法上での例外を除き、禁じられています。本書を代行業者等の第三者に依頼してスキャンやデジタル化することは、たとえ個人や家庭内での利用でも著作権法違反になります。
・本書で紹介した作品の全部または一部を商品化、複製頒布、及びコンクールなどの応募作品として出品することは禁じられています。
・撮影状況や印刷により、作品の色は実物と多少異なる場合があります。ご了承ください。

文化出版局のホームページ　http://books.bunka.ac.jp/
書籍編集部情報や作品投稿などのコミュニティサイト　http://fashionjp.net/community/